Gail Giles

What Happened to
Cass McBride

Vinden ze haar op tijd?

Vertaald door Tjalling Bos

Lemniscaat 8 Rotterdam

De vertaler ontving voor deze vertaling een werkbeurs van de
Stichting Fonds voor de Letteren.

© Nederlandse vertaling Tjalling Bos 2010
Omslag: Leentje van Wirdum
Nederlandse rechten Lemniscaat b.v. Rotterdam 2010
ISBN 978 90 477 0211 5
Copyright © 2006 by Gail Giles
Oorspronkelijke titel: *What happened to Cass McBride?*
First published in 2006 by Little, Brown and Company,
Hachette Book Group, 237 Park Avenue, New York, NY 10017.

Druk en bindwerk: Hooiberg|Haasbeek, Meppel

*Dit boek is gedrukt op milieuvriendelijk, chloorvrij gebleekt en
verouderingsbestendig papier en geproduceerd in de Benelux waardoor
onnodig milieuverontreinigend transport is vermeden.*

KYLE

'Ze is dood, hè? Als ze nog leefde, zou ik niet met handboeien aan een tafel vastzitten in een verhoorkamer. Jullie zouden haar een verklaring afnemen en dan naar mij komen voor een bekentenis. Ja toch?'

De grote smeris, de oudste van de twee, die eruitzag alsof hij nog een ruig partijtje basketbal kon spelen als hij niet te veel hoefde te lopen, vertrok geen spier van zijn gezicht. Met zijn armen gekruist voor zijn borst wachtte hij af wat ik nog meer zou zeggen. Ik haalde mijn schouders op. Ik zat zo diep in de shit dat het nauwelijks wat uitmaakte of Cass McBride dood was of niet. Ze had gedaan wat ze had gedaan, en gekregen wat ze verdiende. Misschien had ze ook pech gehad, maar ze was door haar eigen grote bek in de problemen geraakt.

'Kan ik recht in de camera praten? Jullie laten me het verhaal vertellen zoals ik het wil? Ik zeg geen reet meer als het niet allemaal bekend wordt. In de kranten en op tv. Ik wil dat de mensen het weten. Ik wil dat ze vermorzeld wordt door de media. Snap je?'

Ik wendde me af van de camera. Deed mijn ogen dicht.

Davids gezicht danste op de binnenkant van mijn oogleden.

'Kyle? Ben je er nog?'

Een reflex. Ik keek naar de jonge smeris met het foute haar. Ik drukte mijn wijsvingers in de nagelriemen van mijn duimen tot de pijn David uit mijn hoofd verdreef.

'Hé, makker, je duimen bloeden,' zei de jonge smeris.

Ik trok mijn mouwen omlaag over mijn handen. 'Niet als je het niet ziet, *makker*.'

De kin van de smerissen ging omhoog omdat ik ze een grote bek gaf. Nou en. Ik wil niet dat iemand me ziet bloeden.

'Ik ben een beetje in de war met de tijd,' zei ik. 'Wat is het vandaag? Zondag?' Davids begrafenis was op vrijdag, en ik dacht dat het wel een paar dagen geleden was.

Op de camera knipperde een rood lampje. Ik wreef met mijn knokkels achter in mijn nek en keek toen strak in de lens.

'Ja, het is zondag. Nou ja...' De grote smeris keek op zijn horloge. 'Maandagochtend eigenlijk. Maar laten we even teruggaan naar wat er vrijdag is gebeurd. Kun je me vertellen hoe je de plek hebt uitgekozen?'

'Dat was makkelijk. Ik werk voor de mensen van wie dat huis is. Behalve het grote huis is er ook een apart gastenverblijf dat ze alleen in de winter gebruiken. Het staat nu leeg en ik maai het grasveld. Ze hebben me de onderste ramen van de kas laten schilderen en gebruiken hem om de spullen voor het zwembad en het tuingereedschap op te slaan. De vloer is van aarde. Het was een perfecte plek.'

CASS

's Ochtends was de begrafenis van David Kirby. Ik ging er niet naartoe. Dat zou een heel rare indruk hebben gemaakt. Ik wist niet zeker of hij... het had gedaan vanwege dat stomme briefje. Ik wou dat ik het niet had laten liggen. Nou ja, ik wou dat ik het niet had geschreven. Maar David had het vast aan niemand laten zien. Hij had het weggegooid of misschien wel verbrand, hoopte ik.

Toch bleef ik erover piekeren, en ik kreeg hoofdpijn alsof er wilde apen onder mijn schedel om een banaan vochten. Ik wachtte tot pa naar bed ging, en groef toen in zijn tas. Daar had hij altijd Xanax in. Ja, hebbes. Ik pakte er een. En ging toen terug voor een tweede. Dit was twee-Xan stress.

Ik nam een lange, hete douche en zette de pulserende massagestralen op *masochist*. Ik ging zo staan dat het water mijn nek en schouders ranselde. Ik rolde met mijn hoofd terwijl de stoom om me heen wervelde en het water langs me omlaag stroomde. Misschien deden de pillen hun werk al. Dat gaat goed op een lege maag. Goddank was pa een hypocriet. Tegen mij preekte hij over drugs, maar zelf zei hij echt geen nee tegen illegale pillen van internet. Halleluja.

Nu begon de Xanax echt te werken. Ik was helemaal in extase geraakt onder de douche. Ik ging eruit en droogde me af. Ik föhnde mijn haar tot het alleen nog een beetje vochtig was.

Dat was goed genoeg. Ik trok mijn pyjama aan, sloeg het dek-
bed open en kroop in bed.

Ik liet mijn vingers spelen met het licht van de lamp. Leuk.
Met drugs worden de kleinste dingen de moeite waard. Ik
deed de lamp uit en gaf me over aan de roes. Diep ademen.
Niet dromen, Cass. Geen bomen. Geen touwen. Geen briefjes.
Geen jongens met grote oren. Helemaal niets.

BEN

Zaterdagochtend om 10.15 uur scheurde de inspecteur een bladzijde uit zijn notitieboekje en legde het met een klap op het bureau van rechercheur Ben Gray. 'Er wordt misschien een meisje vermist in Sterling Meadows. Roger Oakley was er het eerst. Hij vindt dat we het moeten onderzoeken.'

'Hoe oud is ze?' vroeg Ben.

'Zeventien, zegt Roger. Maar hij weet bijna zeker dat het meer is dan een leuk feestje en te veel gezopen om naar huis te gaan.'

Ben knikte. 'Oké, waarschuw het onderzoeksteam maar. Roger is goed. Hij zou geen alarm slaan als hij niet echt iets voor ons had.'

'Ja. Hij denkt dat ze ontvoerd is uit haar huis.'

Bens linkerwenkbrauw schoot omhoog. Hij graaide zijn jack van de stoelleuning en riep zijn partner. 'Kom mee, Scott. We gaan kijken wat er is gebeurd met...' Hij keek op het papiertje. 'Cass McBride.'

KYLE

'Had je alles klaargezet in de kas voordat je haar ging halen?' vroeg de grote smeris me met een gezicht alsof hij het niet begreep.

Ik was moe. En dit ging eeuwig duren, als die smeris volmaakt achterlijk was. Of misschien wilde hij me laten bekennen dat ik het met voorbedachten rade had gedaan.

'Ja hoor, alles stond al klaar vóór de begrafenis. De pomp, de kist, en de hele rest.' De smerissen keken elkaar even aan. Nou en. Alsof een misdaad als die van mij ook per ongeluk had kunnen gebeuren.

'Ga verder. Werd ze wakker in je wagen of zo?' Dat was de jonge smeris.

'Het duurde een eeuw voor ze wakker werd. Ik maakte me zorgen omdat haar ademhaling zo...' Ik onderbrak mezelf. 'Ik moest mijn oor op haar borst houden om te horen of haar hart nog klopte. Ik wist niet veel over het middel dat ik haar had gegeven. Ze was heel slap.'

Mijn gedachten dwaalden af en ik vroeg me af of David ook slap was geweest toen ze hem uit die boom haalden.

'Dat kan ik niet.'
'Natuurlijk wel, David. Dat doen jongens van acht. Het wordt tijd dat je in die boom klimt.'
'Deze is te moeilijk. Er zijn geen lage takken. Ik kan er niet bij.'

'Dat maakt het juist leuk. Je moet altijd hoog mikken. Kies iets waar je net niet bij kunt. Als het te makkelijk is, is er niets aan,' zei ik. Ik boog me naar hem over. 'Ik zal het je uitleggen. Stel het je voor in je hoofd. Neem afstand en ren naar de boom toe. Raak hem met je linkervoet en dan met je rechter alsof je gewoon omhoog rent, en spring dan naar de tak. Die is ver boven je hoofd, maar je hebt genoeg vaart. Daarna kun je makkelijk van de ene tak naar de andere klimmen.'

Ik keek omlaag naar de tafel en drukte mijn nagels weer in mijn duimen. Blijf in het heden, zei ik tegen mezelf. Laat je nog niet gaan. Je kunt later boeten voor wat je hebt gedaan. Terug naar de lens.

'Er was wat maanlicht in de kas,' zei ik. 'Maar ik had een zaklantaarn en toen ik die op de grond legde, was het heel onwezenlijk. Een regisseur van een film noir zou het prachtig hebben gevonden.' Ik zag de jonge, zelfingenomen smeris met zijn ogen rollen.

'Dacht je dat ik niet wist wat een film noir was?' snauwde ik naar hem. 'Dacht je dat ik een Cro-Magnon was met een brein als een walnoot? Je zou eens een tijdje in mijn wereld moeten leven. Dan leer je wat *noir* echt betekent. Ik lees ook. Boeken zonder plaatjes. Met lange woorden. En jij? Nog steeds verslingerd aan de *Playboy*?'

De grote smeris schudde even zijn hoofd, een teken voor mij om bij het onderwerp te blijven en voor de zelfingenomen smeris om er niet op in te gaan.

'Zoals ik zei, het was onwezenlijk. Dat meisje als een lappenpop in een witte pyjama, overgoten door maanlicht, met één heldere straal licht op haar gezicht, en ik die over haar heen gebogen stond.'

Ik keek op en zag dat de grote smeris eindelijk een andere uitdrukking op zijn gezicht had. Hij keek naar me zoals *zij* vast naar David had gekeken. Alsof we minderwaardig waren.

Ik richtte mijn blik op de lens van de camera, alsof het een oog was. 'Het was stil.' Ik wees met een vinger naar de lens. 'Je hebt geen idee hoeveel ik van stilte houd. Ik krijg het niet vaak. Het is een luxe. Ik controleerde Cass' hartslag. Ze leefde nog. Ze was alleen bewusteloos. Ik weet nog dat het door me heen ging dat ze zo warm en zacht was, toen ik haar optilde, en hoe onschuldig het kwaad er slapend uit kan zien.'

Ik staarde naar mijn handen. Mijn rechterhand zat met een handboei vast aan een ring die aan het tafelblad gelast was. 'Ik bleef een paar uur rondhangen, maar 's ochtends moest ik thuis zijn. Dus ging ik ervandoor. Het leek me beter als Cass wakker werd terwijl ik weg was. Ik wilde dat ze die verdomde zelfbeheersing verloor en knettergek werd terwijl ze erachter probeerde te komen waar ze was. Daarna zou ik met het martelen beginnen.'

CASS

Een razende koppijn bonkte tegen mijn slapen en sleurde me terug naar de echte wereld. Ik was verkrampt door mijn waanzinnige droom van die nacht en ik had overal pijn. Ik schudde mijn hoofd om de stekende pijn in mijn nek te verjagen. Daarna kromde ik mijn rug en strekte mijn tenen. Verkeerd. Helemaal verkeerd. Geen katoenen lakens tegen mijn blote tenen. Iets hards en ruws. Zoals hout. Met splinters. En een geluid. Een soort bonken. Mijn hoofd bonsde, hard en dof, terwijl de hoofdpijn er een schepje bovenop deed. Hoorde ik mijn eigen hoofd kloppen? Ik had nog nooit hoofdpijn gehad van Xanax. Dit was nieuw voor me. Had ik iets verkeerds uit pa's tas gegraaid? Was mijn vader nu aan de X? Was dit een hallucinatie? Ik deed mijn ogen open. Niets. Zwart. Totale duisternis. Had ik mijn ogen echt open? Wat was dit voor koppijn? Was ik stekeblind? Ik rook pies. Heel erg, en jezus, ik was nat. Hoe kon dat nou, verdomme? Mijn handen schoten omhoog, sloegen tegen een ruw oppervlak boven me en raakten toen mijn gezicht. Ik kon ze niet zien. Er sloeg iets hards tegen mijn hoofd. Mijn rechterhand. Die voelde verkeerd aan. Zwaar. Alsof er iets omheen zat... of eraan vast? Een soort blok dat mijn hoofd had geraakt. Wat was dat, verdomme? Ik had overal pijn, alsof ik van de trap was gevallen. Mijn hoofd was duf. Ik kon me niet bewegen en niets zien. Mijn rechterhand zat helemaal ingepakt. Een ongeluk! Had ik een ongeluk gehad? Zat ik helemaal in het verband of...

Ik voelde met mijn linkerhand aan het ding dat vastzat aan mijn rechter. Een rechthoek. Vrij klein. Een vierkante knop, klaar voor mijn duim. Te groot voor een pieper. En te weinig toetsen voor een mobiele telefoon. Een radio? Zo'n tweewegding? Waarom? Misschien in een ziekenhuis? Hadden ze zo'n drukknop aan mijn hand vastgemaakt? Maar daar was hij te groot voor. Veel te groot. En er zat te veel plakband omheen. Nee, geen ziekenhuis.

Ik voelde aan mijn ogen. Ze waren open. Ik was niet geblinddoekt. Was ik blind? Ik sloot mijn ogen en deed ze weer open. Was er verschil? Ik merkte er niets van.

Laat dit alsjeblieft een droom zijn. Ik hoop dat ik X heb geslikt. Als dit maar niet echt is.

Ik trok mijn voeten op en mijn knieën bonkten tegen een hard oppervlak. Ik stak mijn armen uit en voelde met mijn handen omhoog.

Ruw hout. Niet veel breder dan mijn schouders. Misschien dertig centimeter langer dan ik. Jezus, niet meer dan vijfentwintig centimeter boven me als ik plat lag. Ik jammerde. Ik wiegde heen en weer, terwijl de paniek toesloeg.

Die enge droom die ik had gehad. Er was een geluid geweest. Bijna muziek. Pianotoetsen die allemaal tegelijk werden aangeslagen. Of misschien glas? En toen een luchtstroom. Alsof het raam openstond. Een plof.

Het was een warboel in mijn hoofd, maar dit was geen droom. Ik lag niet in bed of in het ziekenhuis. Opeens sloeg de angst toe. Mijn maag kwam in opstand. En ik dacht: misschien weet ik nu hoe een hartaanval voelt. Want mijn hart verkrampte. Het verkrampte tot een harde bal en ik voelde een stekende pijn. Toen ontspande het zich. Ik snakte naar adem en begon te huilen, met snikken en schokken.

Ik had een ijzig gevoel. Niet koud. IJzig was het juiste woord. Zoals een glas uit de koelkast, vochtig en...

De geur. Het begon tot me door te dringen. Het was niet alleen pies. Het was klam en... rook naar aarde.

Waar was ik? En waarom? Ik lag opgesloten in een kleine ruimte die donker en klam was en...

Ik zoog lucht in en gilde.

Ik gilde tot ik het gevoel had dat de aderen in mijn gezicht en hals zouden barsten. Ik gilde tot het leek of mijn keel gescheurd en opengereten was. Ik bonkte en schopte tot mijn handen, hielen en tenen net zo opengereten waren als mijn keel.

Je gilt als je wilt dat er iemand komt.

En er kwam iemand.

O god. Er kwam iemand.

BEN

Ben Gray was niet grijs. Hij was zwart. Dat was zijn vaste grapje. Maar hij had er zelf genoeg van. Een basketbalbeurs, maar niet genoeg talent om beroeps te worden. Hij hield van zijn werk, maar wist dat er nog meer was in het leven. Dat wist zijn partner nog niet. Scott Michaels politiepenning glansde van nieuwigheid en zijn energie was dodelijk vermoeiend. Hij had stekeltjeshaar, zag eruit als een surfer en gedroeg zich als een cockerspaniël aan de speed.

'Roger Oakley,' zei Ben. 'Die blundert nooit. Als de familie er geen puinhoop van heeft gemaakt, zitten we goed.'

'Denk je dat het een Amber is?'

Ben zuchtte. 'We gaan nu niet raden.'

'Dat weet ik. Maar het zou mijn eerste Amber zijn.'

'Scott,' zei Ben waarschuwend.

'Oké. Ik mag geen Amber meer zeggen.'

De wijk waar Cass McBride woonde, was omheind, maar zonder bewaking. Ben toetste de code in die Roger hem had gegeven, en het hek ging open. Terwijl zijn ratbruine Crown Vic politiewagen erdoor kroop, zag Ben dat de auto achter hem pal op zijn bumper meereed. Nou ja, dacht hij, het is beter dan helemaal geen beveiliging, maar niet veel beter.

Een man in een pyjamabroek en een T-shirt, met zijn haar alle kanten op, stond hen op de veranda op te wachten, samen met de agenten Roger Oakley en Tyrell Ford.

Toen Ben de veranda op liep, begon de man in pyjama meteen te praten.

'Ik heb niets aangeraakt,' zei de man gespannen. 'Toen ik het glas zag begreep ik het meteen. Ik ben de kamer uitgelopen en heb direct gebeld. Dat heb ik deze agenten ook al verteld.'

Ben keek Roger even aan. 'Oakley. Fijn dat ze jou hebben gestuurd.'

Roger knikte kort. 'Dit is Ted McBride.'

'Cass zou nooit weglopen,' zei Ted McBride, terwijl hij zich naar voren boog en met zijn wijsvinger in de lucht prikte. 'Begrijp dat goed. Ga maar naar dat glas kijken. Iemand heeft mijn dochter ontvoerd.'

'Ik heb het gehoord, meneer McBride. We zijn hier om uw dochter zo snel mogelijk terug te brengen. Zullen we naar binnen gaan?'

Bens wenkbrauw was omhooggegaan bij het woord 'glas': dát was de reden waarom Scott en hij erbij gehaald waren. Roger had weer eens zijn legendarische 'spinnenpoten' gevoeld, alsof er spinnen langs zijn nek omhoog renden. Er was iets mis in dit huis.

Voordat Ben de kans kreeg Ted een volgende vraag te stellen, zakte de man snikkend op een bank in elkaar. Hij sloeg zijn handen voor zijn gezicht, maar de tranen stroomden tussen zijn vingers door en zijn pogingen om zijn snikken te smoren leidden tot woest gehoest.

'Ze is mijn kleine meid. Ik heb er alles voor over om haar terug te krijgen.' Hij begon heen en weer te wiegen. 'O, als ze haar maar niets hebben aangedaan.'

Rogers partner Tyrell hield een notitieboekje omhoog en wees naar de gang. Hij begon zacht voor te lezen. 'Vader, Ted McBride, eigenaar van het huis. De moeder woont in Louisiana. Gescheiden. Dochter, Cass McBride, 17, high school junior. Vader en dochter allebei thuis gisteravond. Dochter ging het eerst naar haar slaapkamer. Ze was niet op toen hij wakker werd. Ging kijken. Ze was er niet. Hij zag glasscherven op de vloer. Belde onmiddellijk de politie.'

'Goed gedaan, Ford.'

Ze gingen terug naar de woonkamer. McBride zat met zijn armen op zijn knieën geleund en liet zijn hoofd hangen. 'Meneer McBride, ik ben rechercheur Ben Gray. Ik leid het onderzoek naar de verdwijning van uw dochter.'

Ted slikte moeilijk, stond op en gaf Ben een hand. 'Sorry. Ted McBride is een man die het heft in handen neemt. Ted McBride weet hoe het werkt, hoe hij iets voor elkaar kan krijgen. Ik heb geen idee hoe dat opeens kwam.'

'Rouw en angst, meneer. Heel gewone emoties in deze situatie.'

'Daar ben ik het niet mee eens. Angst zit in de weg en voor rouw is het nog te vroeg. Cass leeft en ik wil haar terug. Emoties krijgen dat niet voor elkaar. Werk wel.'

Rogers spinnen waren blijkbaar overgesprongen naar Bens nek. Hij voelde hun poten. Had die man een zenuwinstorting, waardoor hij in de derde persoon over zichzelf praatte? 'Ja, meneer. Ik wil graag dat u met rechercheur Scott Michaels praat, terwijl ik in de kamer van uw dochter ga kijken.'

Roger ging Ben voor, de kamer uit en de gang door. Het huis had geen verdiepingen en lag als een grote U rond een zwembad aan de achterkant. Het was helemaal bleekbeige en wit, chroom en glas. Kil. Hier konden alleen geesten zich thuis voelen.

Ben voelde zich lomp en misplaatst in dit huis.

'Denk je dat de vader dit gedaan kan hebben?' vroeg hij aan Roger.

'Nee. Ik denk dat het een Amber is.' Hij opende de deur van een kamer van een jonge vrouw. Maar er hingen geen posters van popsterren aan de muur en er lagen geen stapels met van alles en nog wat. Het was er schoon en netjes. De kamer van iemand die wist waar alles lag. Dik bleekbeige tapijt, sneeuwwit beddengoed, roomkleurige muren, wit houtwerk, een plasma tv aan de muur tegenover het bed, een laptop op het opgeruimde bureau. Een klok en een lamp op het nachtkastje. Ben deed zijn handschoenen aan en trok het laatje open. Een iPod en een bundel van Emily Dickinson. Ben sloeg het boek open. 'Ze heeft in dit boek geschreven. Met inkt. Dat zou ik niet verwacht hebben.' Hij fronste zijn wenkbrauwen. 'Er staat hier van alles over vaders. Zou ze problemen hebben met die van haar?' Hij liet het boek in een plastic zak glijden. Roger viel hem in de rede. 'Bed beslapen. Kamer schoon. Kijk naar dat glas.' Ben leunde naar voren. 'Raam van buitenaf ingeslagen. Kijk daar.' Hij hurkte en tuurde naar het tapijt. 'Verdomd.' 'Dat dacht ik ook,' zei Roger. 'Kan het de vader zijn?' 'Ik heb zijn schoenen niet bekeken. Maar als ik zijn voeten zo zie, zou ik zeggen dat hij niet eens in de buurt komt.' Ben stond op. 'Laat een foto maken van die afdruk en verzamel de gegevens van het meisje. Het onderzoeksteam had hier al tien minuten moeten zijn. Dit is een ontvoering door een onbekende verdachte, en de tijd werkt tegen ons.' Ben schudde zijn hoofd. 'Een Amber. Scott gaat uit zijn dak.'

KYLE

'Ik ga niet liegen. Ik genoot ervan. Ja. Cass heeft mijn broer de dood in gestuurd. Daar moest ze voor boeten.'

'Dat begrijp ik nou niet,' zei de grote smeris. 'Als dat waar is, waarom heb je haar dan niet gewoon opgeknoopt in die kas?'

'Het moest met haar net zo aflopen als met David,' zei ik.

'Waarom heb je haar dan niet opgehangen? En briefjes op haar gespeld?'

Er liep een rilling over mijn rug. Die vent was gestoord.

CASS

'Is dat alles?'

De stem kwam van rechts bij mijn hand. Ik gilde. Waar was hij? Mijn hand sloeg tegen de bovenkant van de kist. Hij was niet hier binnen. Kon hij mij horen? Kon hij me zien? 'Wat doe je daar beneden? Je bent zo stil.' Zijn stem klonk zacht en zelfvoldaan. Fluisterend. De paniek greep me naar de keel. De nachtmerrie. Iemand bij mijn oor. De harde armen die me omlaag drukten. De prik in mijn arm, gevolgd door een brandend gevoel in mijn spier en een warme gloed die zich door mijn borst verspreidde en me weer liet inslapen. De adrenaline maakte mijn hoofd helder. Die stem – *hij* had de ruit ingeslagen. Hij had me waarschijnlijk een slaapmiddel ingespoten. Ja, die snelle hete pijn en die kille stem. En toen had hij me meegenomen.

Wie?

Waarom?

Waarheen?

Wat bedoelde hij met 'daar beneden'?

Mijn hoofd tolde en mijn longen brandden. Ik deed bewust mijn best om te ademen. Er was lucht. Ik kon ademen, maar ik wilde meer. Ik lag in een donkere kist en had het gevoel dat er een groot gewicht op me drukte, me plette, de lucht uit me perste. Ik zoog de lucht op en bewees dat ik het kon. Een duidelijk bewijs dat ik leefde.

Wat bedoelde hij met 'daar beneden'?

Ik snikte. Maar ik gilde niet meer. Mijn keel deed pijn en ik wist dat die stem wilde dat ik zou gillen. En als hij dat wilde, was het niet in mijn voordeel. Ik moest het hem niet te gemakkelijk maken.

Ik moest mijn neus en mond afvegen met mijn linkerhand om niet te stikken in mijn eigen snot en tranen.

Daar lag ik slikkend en stikkend in die verdomde inktzwarte duisternis.

Plat op mijn rug terwijl een gek in mijn oor fluisterde.

'Cass? Je bent te stil. Als je gilt kan ik het horen, maar niet als je huilt. Je huilt toch, hè? Ja, natuurlijk.'

Ik kneep mijn ogen stijf dicht en klemde mijn tanden op elkaar.

Hij weet hoe ik heet.

Hij heeft geen onbekende ontvoerd.

Hij heeft *mij* ontvoerd.

Iemand die ik ken, heeft me in een kist gestopt, in het stikdonker, en hij wil dat ik gil. Hij wil dat ik doodsbang ben.

Dat ben ik ook.

Maar ik gil niet. Niet als hij dat wil.

Ik hield mijn adem in en luisterde gespannen.

En toen hoorde ik het.

Voetstappen. Trillingen. Boven me.

Mijn hoofd zakte achterover. De voetstappen klonken gedempt, alsof er een heleboel isolatie zat tussen het monster en mij.

Aarde?

Die geur van een nieuwe tuin.

Grond?

Mijn spieren werden slap.

Niet ontspannen...

Wanhopig.

Nieuwe paniek. Ik haalde zwaar en diep adem. Probeerde zoveel mogelijk zuurstof binnen te krijgen.
Daar beneden.
De geur van omgespitte aarde.
De kilte.
Daar beneden.
Gedempte voetstappen boven me.
De grootte en vorm van deze kist.
De volstrekte duisternis.
Ik was levend begraven.
Begraven.
Levend.
Begraven.

BEN

'Meneer McBride, welke schoenmaat hebt u?'
Ted keek Ben aan alsof hij net een tweede hoofd had gekregen. 'Schoenmaat? U moet mijn dochter zoeken en u wilt mijn schoenmaat weten?'
'Negen, negen en een half?'
'Negen. Gaan we nou grappen maken over mijn kleine voetjes?'
'We hebben een voetafdruk gevonden in het tapijt bij het raam van uw dochters slaapkamer en ik schat dat het een elf is.'
Teds mond zakte open en hij deed hem langzaam weer dicht.
'O god. Iemand heeft mijn dochter uit mijn eigen huis ontvoerd terwijl ik sliep. Dit huis is beveiligd met alle soorten alarmsystemen...' Hij keek opzij. 'Maar ik ben weleens onvoorzichtig. Ik kijk televisie, drink een paar glazen en vergeet het alarm aan te zetten. Het is zo'n veilige buurt, weet u, prima mensen...'
Ben ging op een stoel zitten en trok hem dichterbij. 'We hebben een recente foto nodig. Namen van vrienden en vriendinnen. Adressen. En vertel me eens over haar moeder. Waar is ze? Kan zij uw dochter meegenomen hebben?'
Ted haalde diep adem en richtte zich op. 'Ik zal foto's halen. Ik heb er duizenden. Ze staat op bijna elke bladzijde van het jaarboek.' Hij deed een stap en bleef toen staan. Hij keek Ben aan, maakte oogcontact. 'En ik zal u iets vertellen over mijn doch-

ter, rechercheur. Ik weet niet wie haar heeft ontvoerd, maar als hij niet...' Ted hield zijn hand voor zijn ogen. Hij schraapte zijn keel. 'Cass zal een manier vinden om naar huis te komen.' Ted nam zijn hand weg en beheerste zich. Hij rechtte zijn rug en keek Ben weer aan. 'Cass kan voor zichzelf zorgen. Dat heb ik haar geleerd.'

KYLE

'Waarom ik haar begraven heb?'
Ik leunde achterover op mijn stoel. 'Omdat de Kirby's dat
doen. We begraven dingen. We stoppen ze weg. Ik wilde haar
niet zien, maar ik wilde haar wel martelen. Daarom nam ik
haar mee en gooide aarde over haar heen. Maar ik zorgde
ervoor dat ze wist waarom ze daar was. Ik martelde haar net
zoals zij David had gemarteld.'
'Maar zij heeft David niet begraven.' Dat kwam van de grote
smeris.
'Ik begrijp niet hoe ze je broer heeft gemarteld. Wil je dat uitleggen?'
De grote smeris met de constateringen. Het kleine smerisje met
de vragen. Mijn hoofd deed pijn en ik legde mijn voorhoofd
op de tafel. 'Dat is ingewikkeld.'
Ik was zo stil dat ik de smerissen hoorde ademen. Ten slotte
schraapte de babysmeris zijn keel. Dat betekende dat ik weer
moest gaan praten.
Ik draaide mijn hoofd om zonder het op te tillen. 'Ik heb gezegd dat ik dit op mijn eigen manier wil vertellen. David was
alleen toen hij zich ophing, maar het was geen zelfmoord. Het
was moord. Daarvoor moet iemand boeten. En dat gebeurt
alleen als ik het goed vertel. Maar jullie bombarderen me met
vragen en zeiken om alles in de volgorde te krijgen die jullie
willen. Shit, jullie zijn net als zij.'

Ik draaide mijn gezicht naar de andere kant om het koele oppervlak tegen mijn huid te voelen. 'Nu wil ik iets koels om te drinken, en een paar aspirientjes. En haal die camera weg. Ik zal straks verder vertellen, als jullie nu oprotten en me een tijdje met rust laten.'

Ik kon geen oogcontact maken met de grote smeris.

'Ik kan het niet op een rijtje krijgen. Jullie klooien met mijn hoofd. Kunnen jullie me hier alleen laten? En het licht uitdoen?

Mijn god, dit was echt.

'Nu begrijp je het, hè Cass?'

Ik schrok van zijn stem en voelde hem heen en weer lopen over mijn... graf.

'Dat verdomde stommetje spelen van jou maakt me woedend, Cass. En dat wil je niet.'

Weer voetstappen.

Ik huilde, maar zonder snikken. Stille tranen.

'Druk op de knop bij je duim en praat, Cass. Ik waarschuw je. Anders gebeurt er iets wat je niet prettig vindt.'

Zijn stem was traag en afgemeten. Zo ernstig als – nou ja, de dood. Maar ik gaf geen antwoord. Ik kon het niet.

Wat moest ik zeggen?

Boven mijn gezicht verscheen een lichtvlek zo groot als een zilveren dollar (ik was niet blind!). Toen ging het licht weer uit en er regende aarde over me heen. Ik kreeg het in mijn neus en mijn mond. Het licht werd weer even zichtbaar en verdween. Ik draaide mijn hoofd, spuugde en probeerde mijn neus en mond schoon te maken. Door de angst schoot ik overeind en stootte mijn hoofd, knieën en schouders tegen de deksel en de zijkanten van de kist. Ik drukte op de knop.

'Stop. Alsjeblieft. Doe dat niet meer. Alsjeblieft.'

'Goed zo. Nu heb ik je aan het praten. Zo wil ik het hebben.'

Wat wilde hij dat ik zei?

'Cass?'
'Ja, gooi alsjeblieft geen aarde meer over me heen. Ik... ik begrijp niet wat er gebeurt.' Ik snikte. Ik kon er niets aan doen. Mijn vingers krabden weer aan het ruwe hout boven me. De laatste resten huid en nagels gingen aan flarden. Ik sloeg met mijn ingetapete hand, bracht hem toen dichter bij mijn gezicht en drukte de vierkante knop in. 'Alsjeblieft, laat me vrij. Ik weet niet wie je bent, dus ik kan niemand iets vertellen. Laat me vrij. Laat me hieruit.'
Ik smeekte. Maar ik wist dat ik daar niets mee opschoot. Ik kijk tv. Ik lees dat soort boeken. De slechterik geniet van het smeken. Hij vindt het lekker. Maar wat kon ik anders doen? IK WAS BEGRAVEN IN EEN KIST!
'Alsjeblieft. Laat me vrij. Ik zal het aan niemand vertellen.'
'Ja, dat weet ik. Je zult het aan niemand vertellen. Dat weet ik zo zeker dat het me niet kan schelen of je weet wie ik ben.'
Ik beet op mijn lip tot ik bloed proefde. Hij ging me vermoorden.
Hij liep weer heen en weer. Over mijn borst. En terug over mijn hoofd. Hij bleef staan.
'Ik heet Kyle Kirby. David Kirby is... nee, *was* mijn broertje.'
Tot dat moment wist ik niet dat je tanden echt konden klapperen. Maar die van mij deden het nu. Angst, echte angst is lichamelijk. Davids naam spoelde als een ijskoude golf over me heen. Ik rilde van mijn teennagels tot mijn tanden. Ik beefde zo hard dat ik mijn linkervuist niet gebald kon houden. Mijn tanden konden niet knarsen. Niets deed wat ik wou.
'Voel je je nou een beetje schuldig daar beneden?' fluisterde hij zacht en kalm. 'Vraag je je af hoeveel ik weet? Hoeveel je kunt ontkennen?'
Mijn tanden klapperden nog steeds. Ik kon niet antwoorden, al had ik iets te zeggen gehad.

De eerste keer dat ik Kyle zag was hij halfnaakt. Bloot en blond en sexy op de kille blanke manier. Zijn bruine, gespierde lichaam glom van het zweet en hij viel het onkruid in de borders van de country club aan alsof hij de planten haatte. 'Wat een stuk, hè,' zei Erica. 'Hij heet Kyle Kirby. Mijn moeder kent zijn vader.' Ze begon hem te beschrijven. 'Zit in het honkbalteam. Bozig. Niet veel afspraakjes. Nog nooit een vaste vriendin gehad, voor zover ik weet. Meer weet ik eigenlijk niet. Gaat zijn eigen gang.'

Erica's moeder had ons naar de club gebracht voor een middagje bij het zwembad. Drie meisjes van school slenterden voor ons langs.

'Hé, Kyle,' zei een van hen zangerig. Hij keek even op en veegde het zweet van zijn wang door een schouder te krommen en met zijn gezicht erlangs te strijken, zonder het onkruid los te laten. Hij antwoordde niet, maar knikte zo'n beetje en trok met dezelfde beweging het onkruid uit.

Arrogante hufter, dacht ik. Hij keek niet één keer naar Erica en mij. Dat wekte mijn belangstelling.

Toen school weer begon, zorgde ik ervoor dat ik zijn rooster te weten kwam. Ik had van Ted geleerd hoe ik mijn research moest doen. Daarna was ik telkens 'toevallig' waar Kyle ook kwam, of ik 'ging net weg'. Het was de eerste keer dat ik een jongen zo achternazat. Maar het enige dat het me opleverde, was één stugge blik. Met een soort afkeer. Als een deal er niet in zit, hou dan op met verkopen. Ik zette Kyle Kirby uit mijn hoofd.

De lichtvlek verscheen weer boven me.

'Zie je dat, Cass? Dat is het eind van een luchtslang.' Een klik en het licht werd zwakker. 'Ik doe er een filter op, om de aarde en andere rommel tegen te houden. Nu laat ik de slang op de grond vallen.' Het werd weer donker. 'Zo kun je het licht van mijn zaklantaarn niet zien. O jaaaa,' zei hij met een lange uithaal, 'nu zie je ongeveer hetzelfde als David.'

Ik kreunde.

'Heb je medelijden met jezelf? Wou je dat je niet begraven was?' Hij lachte, zacht en tevreden. 'Nou, geloof het maar. Je ligt niet in een mooie doodskist zoals David. Jij verdient geen satijnen voering en kussens. Jij hebt gewoon een ruwe kist. Maar ik wist niet zeker of je zou begrijpen waarom je daar lag. Ik kon je niet zomaar achterlaten, Cass. Eerlijk gezegd ben je te egocentrisch om erachter te komen zonder dat ik het er bij je in ram.'

Egocentrisch? Had hij me begraven omdat ik egocentrisch was? Zelfs ik kon niet denken dat dit allemaal alleen met mij te maken had. Het ging om het briefje – woorden die niet voor David bestemd waren geweest. Maar doe nou even normaal, zeg. Er moest toch al veel mis zijn met David, als hij zich ophing omdat een meisje hem afwees. En sinds wanneer weegt egocentrisch zijn op tegen ontvoeren en levend begraven? Denk daar eens even over na, zak.

'Je hebt dus een luchtslang, en er is een pomp om je kooldioxide eruit te zuigen door een klein gaatje aan de andere kant. Het is primitief, maar het werkt wel even. Zoveel tijd heb ik trouwens niet.'

'Wat bedoel je? Tijd waarvoor?'

Hij zweeg even en liep boven me heen en weer. 'Ik weet ook niet hoeveel tijd jij hebt.'

'Waarvoor? Waar heb je het over?' gilde ik.

'Je hebt er verdomd lang over gedaan om wakker te worden. Ik vroeg me al af of ik je vermoord had met dat slaapmiddel. Ik hoop dat je vrijdag veel water hebt gedronken voordat je naar bed ging. Uitdroging is...'

'Kyle...'

'Niet doen! Niet mijn naam zeggen. Die mag jij niet gebruiken. Als je mijn naam zegt, komt er aarde door de slang. Begrepen?'

Ik knikte.

'Geef antwoord!'

'Ja. Ik heb het begrepen. Ik zal je naam niet zeggen. Echt niet.'
'En nog iets. Als je het probeert te ontkennen... Als je probeert te ontkennen dat jij dit David hebt aangedaan, als je verontschuldigingen zoekt voor jezelf, dan trek ik de luchtslang eruit en ga weg. Begrepen?'
Bijna knikte ik weer. Maar toen besefte ik dat hij me niet kon zien.
'Begrepen.'
'Goed. Het is al laat. Ik moet terug naar... een heel ander soort hel. Jij blijft hier en ik kom terug. Of niet, natuurlijk.'
En toen niets meer. Niet eens trillingen.
Ik was alleen.

BEN

Ted trok een foto uit een leren lijst die keurig netjes op een glanzend chromen bureaublad stond dat leek te zweven op poten van glas of perspex. Ben kreeg er de kriebels van. Hoe kon je je voeten op zo'n bureau leggen? Of er een zware doos op zetten? In dit huis maakte niets een stevige indruk. Behalve Ted. Misschien was dat de bedoeling.

'Cass weet waar ze heen wil en hoe ze daar moet komen,' zei Ted terwijl hij Ben de foto gaf. 'Ze gaat in het oosten PR en marketing studeren. Ze wordt events manager. Omgaan met de mensen die ertoe doen. Ze weet hoe dat moet. Netwerken. Ik heb haar geleerd mensen te doorgronden. Ze is een natuurtalent.'

Ben bekeek de foto. Aantrekkelijk, maar niet *te* aantrekkelijk. Beheerst. Ze leunde tegen een grote boom. Gekleed in een witte short, een perzikkleurige trui, sportschoenen en sokken. In haar gebruinde hand hield ze losjes een tennisracket. Ze had een band om haar bruine haar, droeg natuurlijke make-up en glimlachte ontspannen en vol zelfvertrouwen. Welgesteld, dacht Ben. Een ouderwets woord, maar zo zag ze eruit.

Een snelle blik in haar klerenkast wees niet op een gespleten persoonlijkheid. Het meisje speelde niet voor engel om dan in een snolletjesoutfit naar feestjes te gaan.

Ted ijsbeerde over het tapijt. 'Wie zou Cass nou willen ontvoeren?' Hij trok aan zijn verwarde haren. 'Mijn ex heeft het lef niet. Al zou ze Cass verdoven en meenemen, dan loopt Cass toch meteen weer weg als ze wakker wordt. Dat weet Leatha wel.' Ted draaide zich om en liep de andere kant op. 'Cass mag altijd bij haar op bezoek, maar ze wil niet. Nee, Leatha heeft het niet gedaan.' Hij bleef staan en keek Ben aan. 'Vindt u dat ik haar moet bellen?'

'Als u het haar nog niet hebt verteld, doen wij dat graag als u het niet erg vindt,' zei Ben. 'Het helpt om iemand te zien als we hem over een ontvoering vertellen, als er enige kans is dat...' 'Ik begrijp het,' zei Ted. Hij ging verder met ijsberen. 'Natuurlijk. Maar geloof me, het is tijdverspilling.'

Ben knikte. 'Dat zal best. Maar nu we het over tijdverspilling hebben... hebt u bezwaar tegen een test met een leugendetector? Ikzelf beschouw u niet als verdachte.'

Ted maakte een wegwuifgebaar. 'Geen probleem. Maar ik kan uw elektroden voor de gek houden, zelfs als ik schuldig was. Cass ook. We weten hoe het moet.'

KYLE

Het donker kalmeerde me een beetje, maar vooral de stilte. Niemand begrijpt hoe geweldig stilte is, tenzij hij die nooit heeft gehad. Of hoe het voelt om *met* iemand te praten als je eraan gewend bent dat er iemand *tegen* je praat. Tegen je. Steeds maar tegen je.

'Droom jij weleens dat je vliegt?' vroeg David.
'Bijna iedereen droomt dat weleens, denk ik. Ik ook.'
We waren in het park. Ik zat op een bankje Een samenzwering van idioten *te lezen. 'Kun je niet als een normaal mens zitten?'*
'Ik ben niet normaal. Op geen stukken na. Vraag het maar aan haar.' Davids voeten lagen op de achterkant van het bankje en zijn hoofd hing omlaag van de zitting. 'Ik vind het leuk om de wereld ondersteboven te zien.'
'Je doet maar, broertje.'
'Ik weet waarom we over vliegen dromen.'
Ik zuchtte en sloeg mijn boek dicht. Ik was hier voor de stilte, maar David kreeg al zo weinig kans om te praten. 'Zeg het eens.'
'Nee.'
'Arrggh.' Soms was hij verschrikkelijk.
David zette een Freud-stem op. Alsof hij iets over Freud wist. 'Het antwoord is hier om je heen. In dit park. Je hoeft alleen

maar te kijken.' Hij liet het accent vallen. 'En dan weet je
waarom mijn vliegdromen altijd nachtmerries zijn.'
Ik keek om me heen. Spelende kinderen. Moeders die toe-
keken. Honden die met grote kinderen of volwassenen speel-
den. Kleine kinderen in de zandbak.
'Nee, ik...' Maar toen zag ik wat hij bedoelde. Een jongetje
vloog. Hij vloog door de lucht.
Hij had met een schepje en een emmertje in de zandbak ge-
speeld. Hij vulde het emmertje en leegde het over zijn schoe-
nen. Toen vulde hij het emmertje, hield het omhoog en liet het
zand op zijn hoofd regenen.
Ze stortte zich als een gier op hem en greep hem met de ene
hand onder zijn billen en met de andere rond zijn borst.
'Hou op! Als je zo vervelend doet, mag je niet meer spelen.'
En toen vloog hij omhoog. Het ene moment stond hij met
zijn gympen diep in het zand en het volgende moment werd
hij opgetild en meegesleurd. Met bungelende benen zoefde hij
machteloos door de lucht. Hij voelde de wind in zijn gezicht,
tot hij op haar heup landde, met haar straffende stem vlak bij
zijn oor.

Natuurlijk wist ik waarom Davids vliegdromen nachtmerries
waren. En ik wist ook dat hij die stem niet alleen in zijn dromen hoorde. Die stem volgde hem overal.

De deur ging open en er was opeens fel licht.
De grote smeris leunde met zijn knokkels op de tafel en boog
zich met rechte armen voorover naar mij. 'Kyle,' zei hij vriendelijk en overredend, 'ik zal je zeggen wat je nu het beste kunt
doen: hoop dat het meisje het haalt, en blijf praten.'

Hij was weg. Op de een of andere manier wist ik zeker dat hij niet deed alsof. Hij stond niet een paar meter verderop te luisteren om te genieten van mijn gegil.

En of ik gilde. Tot mijn keel bloedde. Eerst waren het nog woorden. *Help me.* En daarna alleen *help.* En toen alleen nog allerlei rauwe geluiden. Woedend, doodsbang, dierlijk en ten slotte, het allerergst, zonder hoop.

Ik beukte, schopte, bonkte en ramde. Ik kreeg kneuzingen en bloedende wonden, en ik brak een vinger. De pijn hielp. Die verdreef de angst een beetje. Maar toen een hoek van de kist door een harde schop een klein stukje verschoof, verstijfde ik.

De kist was mijn gevangenis, maar ook mijn bescherming. Hij voorkwam dat de aarde me verstikte. Als ik tegen mijn kist vocht, zou ik sneller dood zijn dan wanneer ik hem aanvaardde.

Oké, zei ik tegen mezelf. Stop, Cass. Stop en denk na. Maak er een zen-oefening van. Haal diep adem. Ik lag stil en ademde kalm en regelmatig in, hield mijn adem vast, en ademde toen langzaam uit. En nog eens. En nog eens.

Dat is beter. Luister. Denk niet aan waar je bent. Je ligt in het donker. Je rust uit in een donkere kamer. Je hebt je ogen dicht en rust uit. Vooruit, Cass, je kunt het. Concentreer je.

Stel het je voor. Adem langzaam. In. Uit. Langzaam.

Ik stelde me voor dat ik languit in het gras lag, 's nachts, onder de sterren, met mijn ogen dicht.
Langzaam ademen. In. Uit. Langzaam. Langzaam.
Goed zo. Kalmeer. Goed zo.
Denk na.
Concentreer je.
Angst is een wapen.
Zijn wapen.
Je moet niet op jezelf schieten met zijn wapen. Aanvaard de angst en reken ermee af. Laat je niet klein krijgen, verdomme.
Adem.
Langzaam.
In en uit.
Denk na over de situatie.
Denk zoals pa.

Kyle Kirby.
Kyle Kirby heeft me in deze kist gestopt en aarde over me heen gegooid, en nu zegt hij dat ik zijn naam niet mag zeggen.
Het gaat om macht. Fysiek heeft Kyle me in zijn macht. Daarom moet ik hem geestelijk de baas worden. En dat begint bij mezelf. In mezelf.
Kyle.
Kyle.
Kyle Kirby.
Zo. Dat is gelukt.
Ik kan je naam denken zo vaak ik wil, hufter. Ik bepaal wat er in mijn hoofd gebeurt.
Maar toen greep de paniek me weer naar de keel. Ik ademde snel en schor. Waarom leek de duisternis zo zwaar?
Adem.
Langzaam.
In en uit.
Denk niet aan waar je bent.

Zet dat *waar* uit je hoofd. Concentreer je op *waarom* je hier bent.

Antwoord: David Kirby.

Ik sloot mijn ogen en er stroomden tranen over mijn wangen. David Kirby.

Die sukkel David Kirby heeft me mee uit gevraagd. Hoe durft hij? Snap jij dat? Hoe ver moet hij afdalen in het dierenrijk om een afspraakje te kunnen maken? Jezus, ik dacht hij een homo was.

Als onze schoolgestapo mobieltjes niet verboden had, konden we sms'en en dan zou dit niet gebeurd zijn. Maar ik krabbelde het op een kladje en vouwde het twee keer dubbel, en toen nog een keer dwars. Daarna stopte ik het bij geschiedenis onder mijn bank. Erica had het volgende uur les in dat lokaal. Ze moest van ver komen en ik moest juist de andere kant op, dus kon ik niet op haar wachten om het briefje zelf te geven. Dat postsysteem hadden we al sinds september, toen we noodgedwongen ons CIA-gedoe van de basisschool, uit de tijd dat we spionnen wilden worden, hadden gereanimeerd.

Voor de les was David Kirby naar me toe geschuifeld, terwijl hij aan een oor trok en zijn keel schraapte. 'Uh, Cass, ik wil je iets vragen.'

Ik zou hem gewoon voorbij zijn gelopen, als ik niet zo verbijsterd was. David Kirby. Loser met een hoofdletter L. Nee, met *allemaal* hoofdletters. Had die iets tegen mij gezegd?

Niet dat hij eruitzag als iets van onder een steen. Hij was niet lelijk, maar ook beslist niet knap. Zijn gezicht was te lang, met bijpassende uitdrukking. Ogen van een spaniël. Niet lief, maar zielig. Een jongen die je opzij wilt duwen. Hij was mager en droeg altijd te grote kleren, alsof zijn botten zomaar los in zijn broek en shirt waren gedumpt. Shirts met lange mouwen, dichtgeknoopt tot aan zijn kin. Goede kleren – Hilfiger, Lauren, Abercrombie & Fitch – maar hij droeg ze verkeerd. Hij zoog zelf de *cool factor* eruit.

David Kirby was zo'n jongen die in zijn locker geduwd wordt en bij gym voor de lol wordt ingetapet – als ze tenminste aandacht aan hem besteden. Ik had hem nog nooit met een meisje gezien. Niet één keer. Hij sloop altijd in zijn eentje rond. Hij was geen party-animal, geen goth, geen alto, relifreak, cijferjager of seksmaniak. En zelfs niet iemand die daar zo'n beetje tussenin hangt. David Kirby kon niet in positieve bewoordingen beschreven worden. Je kon alleen zeggen wat hij *niet* was. Er was niets wat hij wilde zijn. Hij zou nooit iets zijn.

En hij was mijn zone in gestapt.

Ik draaide me naar hem toe en hij maakte oogcontact. Ik keek rond, om hem duidelijk te maken dat ik het gênant vond om met hem te praten.

'Ik vroeg me af,' prevelde hij. 'Ik bedoel, ik zou het fijn vinden als je…' Hij trok weer aan zijn oor. Jezus, straks was zijn ene oor langer dan het andere. 'Als je met me mee uitgaat. Dit weekend. Of anders het volgende. Als je tijd hebt. Naar een film of zo. Minigolf.'

Dat zei hij allemaal in één adem. Met zijn blik naar de grond. Had hij het geoefend? Ik wist niet of ik moest lachen of kokhalzen. Het was allebei fout.

'Ik weet dat minigolf stom klinkt,' ging David verder. 'Maar bij een film zit je alleen maar, en minigolf is zo maf dat het weer leuk is, en je hebt de kans om te praten en elkaar te leren kennen. Maar je moet beloven dat ik vals mag spelen, want ik kan er niets van.'

Uit de mond van een ander zou het misschien bijna, nou ja, grappig zijn geweest. Maar zeg nou zelf, David Kirby? Nee toch hè? Nu schraapte ik mijn keel. 'David, dat is heel aardig van je, hoor. Maar ik heb het nogal druk de komende tijd. Ik kom er nog op terug, oké?'

Ik dacht er nog net aan om hem even mijn beroemde Cass McBride glimlach te laten zien: kuiltjes, hoofd ietsje schuin.

Het was oktober, een week voor Homecoming, en die verkiezingen waren al voorbij. Ik zou de allereerste junior zijn die Homecoming Queen werd.

Maar het zou een stuk moeilijker zijn om in het voorjaar als eerste junior tot Prom Queen te worden gekozen. Daarvoor had ik al mijn charme nodig. En elke stem telde.

Ik liep stralend weg terwijl David zoiets neuzelde als: 'Bedankt. Daar wacht ik dan op.'

De bel ging en we gingen in onze banken zitten, hangen of onderuit zakken. Onze geschiedenisleraar is een coach. Dat betekent: we lezen een hoofdstuk, beantwoorden de vragen aan het eind, en op vrijdag hebben we een toets. Als het hoofdstuk kort is, vertoont de coach een film terwijl wij een dutje doen. Die dag lazen we en schreven antwoorden van elkaar over terwijl de coach basketbalschema's tekende. En ik zweer dat David me de hele les verliefd zat aan te kijken. Ik schreef het briefje aan Erica en stopte het onder mijn bank.

Toen de bevrijdende bel ging, zeilde ik door het middenpad naar voren, maar ik zag dat David achter in de klas naar mijn bank schuifelde. Ik bleef staan. Shit, hij had vast gezien dat ik het briefje verstopte.

'Ik ben iets vergeten,' zei ik terwijl ik probeerde terug te lopen tegen de dringende meute in. Toen zag ik dat David het briefje in zijn zak stopte.

Die stem voor Prom Queen kan ik op mijn buik schrijven, dacht ik.

Ik had nooit gedacht dat twee mensen in een graf konden belanden door een paar ondoordachte woorden, gekrabbeld op een papiertje.

BEN

Ben stond met zijn partner en de agenten Ford en Oakley op de veranda. 'Roger en Tyrell, jullie zijn bij mij ingedeeld. Tyrell, jij blijft hier om een beetje op te letten. Houd McBride onder de duim tot het onderzoeksteam hier is. Hij mag zijn advocaat bellen en verder niets. Als ik geen protesten hoor, stuur ik iemand met een leugendetector. De telefoonploeg komt alles neerzetten voor het geval dat er gebeld wordt om losgeld te eisen. Ze nemen het babysitten van je over en dan kun jij verder meedoen met Roger.'

Hij wendde zich tot Roger. 'Jij gaat naar het bureau, en Ford sluit zich later bij je aan. Ik zal regelen dat er nog een paar man op de zaak gezet worden. Jij hebt de leiding. Ondervraag zoveel mogelijk mensen. Concentreer je op de school. Vrienden, leraren, coördinatoren.

Het is zaterdag – dat houdt de boel op. Bel eerst de directeur van de school en de coördinatoren en laat de kinderen naar school komen voor de gesprekken. Stel ze op hun gemak. Ondervraag haar vriendinnen en vriendjes thuis. Vraag de namen aan de vader, en praat ook met hun ouders. Laat haar beste vriendin en vriendje van dit moment naar het bureau komen. Als iemand een dagboek vindt, een agenda, een hoe-heet-dat-ook-alweer...' Hij knipte met zijn vingers naar Scott en hield zijn handpalm vragend omhoog.

'Blog,' antwoordde Scott. 'Op haar computer. Of een site.'

'Precies. Dat bedoel ik. Laat haar computer onderzoeken. Als iemand zoiets vindt, wil ik dat meteen weten.'

Ben keek op zijn horloge en fronste zijn wenkbrauwen.

'Ik zal Adam de telefoongesprekken laten controleren, en de financiën van de vader. Scott, gebruik dat snelle mobieltje van je en boek een vlucht naar Louisiana voor ons. Jij hebt je eerste Amber en er zijn al minstens twaalf uur van de eerste achtenveertig voorbij.'

KYLE

'Laten jullie me nu het verhaal vertellen zoals ik wil?'
De grote smeris ging tegenover me zitten. Hij zei niets, maar
spoorde me zwijgend aan. De puppysmeris leunde in de hoek,
met zijn armen gekruist voor zijn borst. Oooooh. De boze
smeris. Mij best hoor. Mijn koppijn was wat minder geworden. Ik zakte onderuit in de stoel. Ik was hier om te praten.
'Ik geloof niet dat Cass McBride wist wie ik was, tot ik haar
mijn naam vertelde. Maar ik kende haar wel.
Het was augustus. De hitte was moordend, zelfs met de airconditioning van de school op volle kracht. Bijna iedereen
droeg de gebruikelijke kleren voor de eerste schooldag: een
wijde short, een T-shirt en slippers. We zagen eruit alsof we
net uit bed kwamen en op weg waren naar het strand. En toen
zag ik haar.'

Ik stootte Chris Monahan aan. 'Wie is dat in hemelsnaam?'
Chris grijnsde en maakte een kruis met zijn wijsvingers alsof
hij een vampier probeerde af te weren. 'Cass McBride. Een
nieuwe. Maar je hebt geen schijn van kans. Je zit in het honk-
balteam, maar je bent niet de aanvoerder. Ze is voor jou on-
bereikbaar. Zo volstrekt onbereikbaar, dat ze het zelfs voor
mij is.'
Ik begreep niet hoe ze dat voor elkaar kreeg. Zelfvertrouwen
zonder arrogantie. Eén blik op haar en ik wist dat ze een en al

innerlijke kalmte en rust was. Het moest stil zijn bij haar thuis.
Ze droeg een serene rust mee als een eigen airconditioning.
Geen zweetdruppeltjes op haar bovenlip. En geen strandkle-
ren voor Cass McBride. Ze droeg een witte rok. Kort genoeg
om een flink stuk bruin been te laten zien, maar lang genoeg
om ook je verbeelding aan het werk te zetten. De rok zwaaide
uitdagend met haar mee en ze droeg een zijdeachtig T-shirt
met een vest erover. Allemaal wit. Een heleboel kleren en toch
zag ze er fris en strak uit.
Al die lagen zelfverzekerdheid. Tot diep vanbinnen. Mijn zelf-
verzekerdheid was oppervlakkig geworteld. Ik wilde wat zij
had. Als ik het niet kon hebben... waarom zij dan wel?

'Misschien maakt dit iets duidelijk over Cass McBride,' zei ik.
'Die eerste dag droeg ze een felroze handtas en ze had haar
horloge aan de riem vastgemaakt. Aan het eind van de och-
tend hadden een stuk of vijftig meisjes – niet alleen stumpers,
maar ook snelle meiden uit de hoogste klas – hun horloge aan
de riem van hun handtas vastgegespt. De volgende dag was
het een epidemie.'
De smeris trommelde op de tafel. 'Ik weet dat het klinkt alsof
ik haar heb uitgekozen, maar dat is niet zo. David heeft het
zelf gedaan. Ik probeer duidelijk te maken waarom.'
Ja, waarom had ik niet geweten dat David Cass zou kiezen?
Had ik het kunnen voorkomen?

Ik vertelde Erica niet over het briefje. Ze is een beetje raar met dat soort dingen. Als ik het aan Erica vertelde, zou ze dat gezicht van haar trekken, zo van o-je-mag-dat-poesje-niet-naar-het-asiel-brengen.

Ze heeft me een keer gevraagd waarom ik, als ik alles al had, soms toch zo gemeen was.

Nou, Erica, omdat de anderen je inhalen als je stilzit. Daarom. Je mag het krachtveld geen moment uitzetten. Hou de anderen klein, dan blijf jij groot. Zoiets.

Dus waarom zou ik het tegen Erica zeggen? David had vast geen vrienden en zou het aan niemand vertellen. Niets aan de hand, dacht ik.

Tot de volgende dag.

'Cass, heb je het al gehoord?'
'Wat?'
'Over David Kirby. Ken je hem?'
Ik had opeens erg veel belangstelling voor de inhoud van mijn locker. 'David Kirby?' Ik wachtte af wat Erica nog meer zou zeggen. Had hij haar opgebeld? Een advertentie gezet? Mijn briefje voorgelezen op de radio?
Ze kwam dicht bij me staan. 'Hij heeft zelfmoord gepleegd,' fluisterde ze.

Mijn hart sloeg niet over. Het haperde en stond stil. Mijn adem-
haling ook.

'Wat?'

'Ja, erg hè? Mijn moeder werd vanochtend vroeg gebeld.'
Erica's moeder werkt in het politielab. Daarom was dit geen
gerucht, maar werkelijkheid.

'Hij heeft zich opgehangen, Cass. Aan een grote boom in zijn*
voortuin. Hij had een briefje op zijn lichaam gespeld. Niet op
zijn shirt. Op zijn lichaam.' Ze fluisterde alsof het beschamend
was.

Ik likte aan mijn lippen. Ze waren droog, maar mijn mond
zat plotseling vol speeksel. Ik moest bidden tot de porseleinen
godin, en snel ook.

Ik liet mijn boeken vallen en rende naar het toilet. Ik haalde
het niet tot in een hokje, maar gelukkig wel tot een wasbak. Ik
duwde Becka, Meg en Leslie opzij, die druk in de weer waren
met lipstick en mascara.

'WAAAA!'

'Jakkes!'

'Dat is een tas van vijfhonderd dollar, Cass!'
Ik gaf nog een keer over, draaide toen de kraan open en ging
bij een andere wastafel mijn gezicht wassen.

'Sorry hoor.' Ik wapperde met mijn handen. 'Ik hoop dat ik je*
tas gemist heb, Becka.'

Becka bekeek haar trots van turquoise leer. 'Nou, ik geloof dat
ik hem nog net op tijd heb weggetrokken.'

'Goddank,' zei ik. Ik greep een stel papieren handdoekjes en
veegde mijn mond af. 'Ik zou je niet graag voor dat ding be-
talen.'

'Zwanger of te veel gezopen?' Dat kwam van een onderkruip-*
sel met zware oogmake-up en oorringen zo groot als honkbal-
len. Ze leunde tegen een wc-hokje en rookte een sjekkie. Ik
deed of ik het niet hoorde.

Erica dook op bij mijn elleboog. Ze had mijn boeken bij zich.
'Alles oké, Cass?' vroeg ze.

'Ik heb last van mijn maag,' zei ik. 'En toen ik die shit hoorde over een briefje dat hij op zijn...' Ik zweeg en sloot mijn ogen. 'Ik zag het voor me.'

Ik leunde met twee handen op de wasbak en liet mijn hoofd hangen. 'Ik geloof dat die Kirby met geschiedenis bij mij in de klas zit – nou ja, zat.'

Het werd doodstil.

'Zat?' vroeg Becka. 'Wat bedoel je?'

Opeens praatte iedereen door elkaar. De stemmen gonsden om me heen. Vragen en antwoorden buitelden over elkaar. Ik gaf Erica een knikje en we gingen er stilletjes vandoor.

'Zat hij met geschiedenis bij jou in de klas?'

'Ja, ik weet het bijna zeker. Maar hij is zo iemand die je niet ziet.'

Erica knikte. 'Zijn broer heeft twee jaar geleden eindexamen gedaan. Een stuk.'

'Is Kyle Kirby de broer van David Kirby?'

Erica knikte. 'Niet te geloven, hè? Ze lijken helemaal niet op elkaar.'

Ik vroeg me af wat voor ouders twee zo verschillende zonen hadden voortgebracht.

Het antwoord op die vraag kon nu mijn dood worden.

BEN

'Dit is wel echt ver in het moeras,' zei Scott.
Ben liep over de loopplank naar het café met bootverhuur en aasverkoop, waar Leatha McBride voor haar zwager werkte.
'Denk je dat er daar in het water alligators zitten?'
'Vast wel. En moccasinslangen en nog een paar beesten die jou kunnen doden.'
'Nu begrijp ik waarom dat meisje hier niet naartoe wilde,' zei Scott.
'Zo te zien is de afdeling boten en aas beneden,' zei Ben toen ze bij het gebouw kwamen. Het stond op palen; de begane grond was afgetimmerd. Een buitentrap leidde naar de bovenste verdieping. De geur van koffie en kruiden woei hun tegemoet.
Ben en Scott gingen de grote kamer binnen. De vloer was van geschuurde planken en er stonden wat tafeltjes met roodgeruit zeildoek erop. Ben liet zijn penning zien aan de vrouw die kwam aanlopen.
'Ik ben rechercheur Ben Gray en dit is rechercheur Scott Michaels. We willen graag met Leatha McBride spreken.' Ben wist al dat hij tegen Cass' moeder praatte. Ted McBride had wel opgeschept dat zijn DNA het karakter van zijn dochter beheerste, maar het was duidelijk dat Leatha McBride haar uiterlijk had bijgedragen. Ze bestudeerde Bens penning en keek hem aan. Daarna wierp ze een blik op Scott en gebaarde naar een hoek van het kleine café.

'U lijkt niet verrast een rechercheur uit Texas te zien,' zei Ben.
'Ik neem aan dat Ted iets van me wil,' zei ze. Ben vond dat ze
moe en droevig klonk, maar niet boos. Eerder berustend. In
elk geval niet geagiteerd.
'Maar ik heb geen idee wát,' ging ze verder.
'Uw dochter wordt vermist,' zei Ben. 'Ze is ontvoerd, denken wij.'
Hij zag dat het een schok voor haar was. Maar de vrouw bleef
stil zitten. Haar enige reactie was een lichte trilling van de
hand die naar haar mond ging.
'Wanneer?'
'Gisteravond.'
'Vertel.'
Ze had het dringend gefluisterd en Ben wist wat deze moeder
wilde.
'Geen bloed in de kamer. Geen reden om te denken dat uw
dochter geweld is aangedaan. We zijn nog in de eerste achten-
veertig uur. Dat is goed, maar we hebben geen verdachte en de
tijd staat niet stil.'
'U bent hierheen gevlogen. U denkt dat ik er iets mee te maken heb.'
'De ouder die het kind niet in huis heeft – dat is altijd het eer-
ste gesprek. Er wordt technisch onderzoek gedaan en agenten
praten met allerlei mensen uit de directe omgeving.'
'Ik heb haar niet meegenomen en ook aan niemand gevraagd
om dat te doen.'
Ben luisterde.
'Het heeft geen zin.' Leatha's handen beefden. 'U hebt haar
niet ontmoet, maar geloof me, Cass zou hier nooit blijven.' Ze
spreidde haar handen op tafel, drukte ze op het geruite kleed
en staarde ernaar. Kortgeknipte nagels. Ongelakt.
'Zou Ted zoiets doen?' vroeg Ben.
'Of Ted in staat is zijn eigen dochter te ontvoeren om er finan-
cieel beter van te worden? Is hij zo ongevoelig?' Leatha keek
opzij. 'Natuurlijk. Maar u moet begrijpen wat Cass voor Ted
betekent. Dat maakt het onmogelijk.'
'Ga door,' zei Ben.

Ze stond op en liep naar achteren. Even later kwam ze terug met drie bekers koffie. 'Ik raad u aan om room te nemen, ook al doet u dat anders niet. Er zit cichorei door. Zo drinken *cajuns* het.' Leatha hield haar blik afgewend en leek moeite te hebben om zich te beheersen, terwijl ze room in haar beker schonk tot de donkere koffie de kleur kreeg van karamel. Ze schepte er suiker in. Vier theelepels. Ben nam een slokje en vroeg zich even af of het bruikbaar was als afbijtmiddel.

Na haar koffieceremonie leek Leatha zichzelf weer onder controle te hebben. Ze nam een slok en zette haar beker neer.

'Wat wilt u weten?'

'Begin maar met Ted. Heeft hij zijn geld geërfd?'

'Ted komt uit de goot. Zijn ouders waren straatarm. Ze woonden in een caravan. Hij heeft niet eens de middelbare school afgemaakt. Maar hij heeft gezwoegd en gegraaid en goed geld verdiend. Verzekeringen verkocht, en stofzuigers. En toen een stapje omhoog naar kopieermachines. Er is weinig dat hij niet heeft verkocht.'

'Wanneer bent u in beeld gekomen?'

'Onderweg heeft hij mij ontmoet. In de tijd van de verzekeringen. Ik was toen ideaal voor hem. Mooi en volgzaam.' Ze nam een slokje. 'Hij overdonderde me. Hij besloot dat hij me wilde hebben, en was vastbesloten me te veroveren. Dat was heel heftig voor een jong meisje.'

Ze zag Bens gezicht vertrekken toen hij de koffie proefde. Glimlachend, maar zonder iets te zeggen, pakte ze zijn beker en die van Scott. Ze liep weg van de tafel en kwam weer terug nadat ze opnieuw had ingeschonken. 'Mietjeskoffie. Zonder cichorei.'

'Waar was dat?' vroeg Ben.

'Lake Charles. Toen kreeg hij een kans om kopieermachines te verkopen in New Orleans. Een groot bedrijf, met groeimogelijkheden. We verhuisden. Telkens als Ted ergens genoeg geld had verdiend, wilde hij een stap verder. Een andere baan en een nieuwe rol voor zichzelf.'

'Hoe liep dat af voor Ted?'

'Hij verdiende een smak geld en wilde weer verder. Deze keer werd het onroerend goed in Houston. Hij vertelde de mensen daar dat hij was afgestudeerd aan de Universiteit van Louisiana en dat ik daar als model had gewerkt. We kregen Cass. We waren een volmaakt gezinnetje. Hij betaalde een vrouw voor een spoedcursus in goede manieren. De juiste vork, de juiste manier om je voor te stellen, en hoe je je moest kleden. Ted wilde niet alleen rijk zijn – hij wilde ook een chique indruk maken.'

Leatha glimlachte met een scheve mond. 'Hij moest lessen nemen om minder rijk te lijken dan hij was. Maar hij werkte nog steeds voor een ander.

We verhuisden weer. Ted begon zijn eigen bedrijf. We woonden in een van de beste delen van een van de meest exclusieve wijken. Maar niet in een buurt waar de huizen alleen van het ene familielid op het andere overgaan. En dat soort klasse wil Ted hebben.'

'Oké, dat was Ted en geld. Vertel me nu over Ted en u. Ted en Cass.'

Leatha dacht even na. 'Het probleem met Ted is dat je je voortdurend tegenover hem moet bewijzen. Zoals hij zichzelf voortdurend bewijst tegenover de wereld. En ik was niet mooi meer. En ook niet geestig. Dus had hij niets meer aan me. Nu is Cass zijn middel om te krijgen wat hij wil. Ze *moet* met iemand trouwen die uit een goede familie komt. Dat gaat hij niet verprutsen door een ontvoering.'

Leatha had haar koffie op. Ze vouwde haar handen in elkaar. 'Klinkt het als een gerepeteerd verhaal? Iets dat ik uit mijn hoofd heb geleerd? Dat is het ook. U moet begrijpen dat ik hier jaren over heb nagedacht. Ik heb alle details telkens opnieuw overdacht. En het met mijn zuster besproken tot ze het niet meer wilde horen. Ik heb tientallen schriften volgeschreven.'

Ze zuchtte. 'Alleen door mijn gevoelens te verdringen kan ik leven met de gedachte dat mijn dochter weinig of niets om me geeft.'

Ben knikte. 'Daar weten politiemensen alles van.'

'Triest hè?' zei Leatha.

Ben dronk zijn mietjeskoffie terwijl Leatha uitlegde waarom ze was weggegaan. 'Ze was mijn dochter niet meer. Niet echt. Cass is niet harteloos, ze heeft alleen nog nooit naar haar hart geluisterd. Tot nu toe. Ze leeft in haar hoofd. Ze rekent en maakt de balans op, net als Ted. En ik had bij haar geen plaatsje meer aan de creditkant.'

Het verdriet werd haar te veel. 'Neem me niet kwalijk.' Ze liep de kamer uit, naar achteren. Ben nam aan dat achter de klapdeur die Leatha openduwde, de keuken en de wc waren. Hij en Scott wachtten zonder iets te zeggen.

Toen Leatha terugkwam, beefde haar stem. Maar ze leek te weten wat ze wilde zeggen.

Ze keek Ben in zijn ogen. 'Ik geloof dat Cass en Ted ook niet echt van elkaar houden. Niet als vader en dochter. Ze doen maar alsof. Voor hem is zij net zoiets als een van de dure auto's in zijn showroom – mooi en glanzend, zodat hij zijn eigen weerspiegeling kan zien.'

'En wat schiet Cass ermee op?'

Leatha haalde haar schouders op. 'Cass moet zich ook bewijzen. Tegenover Ted. Alleen dan houdt hij van haar... en... ze is dol op het licht van de showroom.'

Ze kreeg glinsterende tranen in haar ogen. 'Zoek haar, alstublieft. Breng haar terug naar huis, al is het niet bij mij. Ik wil dat ze veilig thuis is.'

KYLE

'Je zit maar wat te lullen. Wat heeft een horloge aan een roze handtas er nou mee te maken? Hou op met die onzin en vertel wat er is gebeurd.' De jonge smeris schoot uit de hoek te voorschijn en sloeg vlak voor me met zijn platte hand op tafel. Alsof er nog nooit iemand tegen me had geschreeuwd. 'We komen er wel,' zei ik. De jonge smeris keek nijdig. Jammer dan. De grote smeris keek alsof hij me niet vertrouwde. Dat zou wel goed komen als hij bleef luisteren. Of niet – het kon mij niet schelen. 'David was net als mijn vader. Een deurmat. Maar ik geloof dat mijn vader de hoop had opgegeven dat ze nog van hem hield. Of hij wilde er niet eens meer aan denken. Ik weet niet of dat iets uitmaakt. Hij liet gewoon over zich heen lopen.' Ik keek naar de jonge smeris, die terug was in zijn hoek. 'Is hij daar ergens? Mijn vader? Jullie hebben hem toch gebeld? Heeft hij de moeite genomen om terug te komen?' De grote smeris antwoordde. Waarschijnlijk wilde hij de leiding houden. 'Ja, hij is hier. Hij ziet eruit als een wrak. Ik geloof niet dat hij het begrijpt. Maar verdomme, ik begrijp het zelf nog niet.' Ik begon met mijn been te wippen en keek de kamer rond. Opeens was ik onrustig en nerveus. 'Ik weet dat het nergens op slaat, maar ik moet er telkens aan denken. Weten jullie

of Cass eigenlijk Cassandra heet? Ik bedoel, zou dat niet het
toppunt van ironie zijn? Cassandra voorspelde het noodlot.'

Hoe lang lig ik al in deze kist?

Kyle had het over vrijdag. Hij hoopte dat ik vrijdag veel water had gedronken. Dat betekent dat het nu geen vrijdag meer is. Het is minstens zaterdag. Ik ben laat naar bed gegaan, dus ik denk niet dat het nu 's ochtends vroeg is. Hij zei dat ik er lang over had gedaan om wakker te worden. Zo lang dat hij dacht dat hij me misschien had vermoord. Ik ben verdomde stijf. En ik verrek van de dorst.

Ik had nooit gedacht dat liggen zo erg kon zijn. Mijn gewrichten deden pijn, en mijn rug ook. Ik bewoog alles wat ik kon, maar stootte telkens tegen hout. Ik probeerde mijn kaken te ontspannen, omdat ik merkte dat ik ze hard op elkaar klemde. Ik boog mijn ene schouder naar voren, en daarna de andere. Elke beweging was een vooruitgang. Waarom was ik zo stijf? Ik rilde weer. Van angst? Of had ik het koud doordat ik al zo lang onder de grond lag?

Door de paniek werd mijn hartslag een snelle staccato. Ik was me intens bewust van mijn kurkdroge mond en de manier waarop ik de muffe lucht opzoog.

Ik moest snel van onderwerp veranderen.

Cass McBride is niet hulpeloos. Ze laat dingen gebeuren.

Ze wint.

Tijd om te vergeten waar ik ben.

Stop het weg.

Maak een plan.
Concentreer je.
Ga aan het werk.

Op school heb ik veel geleerd. Maar op de kruk in de werk-kamer van mijn vader heb ik mijn echte opleiding gekregen.
Pa at bijna altijd buitenshuis. Met klanten of als hij nog laat op kantoor werkte. Ik at in mijn eentje, maar zat toch te wachten tot hij thuiskwam. Hij liep recht naar zijn werkkamer om zijn fles whisky en een glas te pakken. Als ik wist dat hij in zijn stoel zat en zijn das had losgemaakt, ging ik naar binnen. Ik leek wel een labrador. Het scheelde niet veel of ik had zijn pantoffels in mijn mond.
Hij proostte met zijn glas om me te begroeten. Pa werd nooit dronken, maar zijn dranklucht en ontspannen houding betekenden dat het tijd was om me de geheimen van Teds Wereld te onthullen. De wereld van verkopen en deals sluiten.
Bij één zo'n belangrijke les keek Ted me strak aan met zijn staalblauwe ogen. 'Je moet evenveel onderzoek naar je klant doen als naar je product.' Hij zette het glas neer. 'Waarom, denk je?'
'Je kunt het product niet verkopen als het niet voldoet aan de behoeften van de klant?'
Ted knikte voldaan. Toen gaf hij opeens een klap op de tafel, waar ik van schrok. 'Maak er nooit een vraag van. Antwoord zelfverzekerd. Als je zelfverzekerd praat, luisteren de mensen. Loop vol zelfvertrouwen. Houd je blik recht vooruit, maar kijk vanuit je ooghoeken naar de mensen om je heen. Laat je niet verrassen. Dat is belangrijk, Cass. Dat is altijd belangrijk.'
Soms schaakten we. Hij gaf me les over zijn wereld, terwijl hij zijn matglazen stukken verzette.
'Het heet niet voor niets een verkoopcampagne. Het is een soort oorlogvoering. Je verovert de deal. Je geest is het slagveld, en woorden zijn je wapens.'

Ik heb nooit van hem gewonnen met schaken. Ik gaf een keer schaak met mijn dame van helder glas. Ik begreep zijn glimlach niet. Toen ontsnapte hij met één zet, en twee zetten later stond ik zelf mat. 'Onderschat je tegenstander niet, Cass. Blijf opletten tot de deal gesloten is. En laat een tegenstander nooit overeind komen. Geef hem niet de kans terug te pakken wat je hebt gewonnen.' Hij sloeg mijn koning omver en legde zijn koning toen veilig in de gevoerde doos.

Ik weet niet of ik hem daarna ooit nog helemaal heb vertrouwd. En ik denk dat dat zijn bedoeling was.

Een andere keer leunde hij naar voren en wenkte me dichterbij alsof hij me een heel belangrijk geheim wilde vertellen.

'Het is niet het product dat je verkoopt, Cass. Je verkoopt de klant zijn eigen onzekerheid. Je verkoopt hem zijn tekortkomingen.'

Ik denk dat hij de twijfel in mijn ogen zag. Hij leunde nog verder naar voren en tikte op het chromen bureau. 'Je moet erachter komen wat hij in zichzelf mist. Dat pak je in met een strik erom en verkoop je aan hem.'

Hij leunde achteruit in zijn stoel en nam een slok. 'Werkt altijd.'

Terwijl pa zonder te knipperen naar de muur staarde, vroeg ik me even af of hij mij mijn eigen onzekerheid had verkocht. Maar die gedachte zette ik snel van me af. Toen.

Toen ik ouder werd, kreeg ik er de pest in dat we altijd alleen over Teds Wereld praatten. Toch bleef ik naar hem toe gaan en luisteren. Ik wist wat er gebeurde als Ted geen belangstelling meer voor je had.

Pa duwde de glazen deuren van ons nieuwe huis open en ik stoof naar binnen.

'Kijk eens, mama. Allemaal nieuwe spullen. Het lijkt de hemel wel.'

Het hele huis was wit en roomkleurig. Glas en chroom. Ik had

*het gevoel dat ik in een wolk door de gang zweefde naar mijn
witte kamer. Het hele huis lag rond de enige kleur, het glinsterende turquoise zwembad.*

'Kom jij niet binnen, mama?'

*Ik was door het huis gerend, maar ma stond nog verstijfd in
de deuropening.*

*'Ted, heb je dit allemaal zonder mij gekocht? Heb jij al dit
meubilair uitgekozen?'*

*'Ik heb het door een interieurontwerper laten doen. We nemen
niets mee uit het oude huis.'*

Ik juichte. 'Allemaal nieuwe kleren!'

*'Natuurlijk,' zei pa. 'Pastel en turquoise, roomkleurig en wit
– alleen wat bij het huis past.'*

*Pa keek ma aan. 'Niet dat vreselijke bruin dat jij altijd draagt,
Leatha. Dan is het net of iemand een grote drol heeft gedaan
op de bank.'*

Ik lachte om pa's grapje, maar ma niet.

Ma droeg geen bruin meer, maar vooral veel beige. Het leek
wel of ze verdween. Opging in de muren van dat huis. Pa liep
er met grote passen doorheen. Zijn staalgrijze pakken sneden
door de wolken, en mijn perzik, turquoise en roze zorgden
voor kleur en warmte. Pa en ik vormden een eenheid, maar ma
zweefde in haar eentje rond. Ze was oninteressant.

Maar op een keer verraste ze me. Die dag eiste ze onze aandacht op.

*Ma kwam de keuken in. Ze zette een koffer bij de deur en
hield een fotoalbum tegen zich aan geklemd. Ik herkende het.
Al mijn babyfoto's. Ze droeg een bruin hes en een beige broek.
En schoenen die een verpleegster zou kunnen dragen. Waar
had ze die vandaan?*

*Ze ging zitten, legde het album op tafel, maar hield haar vin-
gers om de rand gebogen, alsof een van ons het zou willen
afpakken. Pa en ik aten geroosterde boterhammen met roerei,*

die ik had klaargemaakt. Hij droeg een pak met een konings-
blauwe das en ik een turquoise zijden bloes. Ma leek wel een
winterkoninkje op een voedertafel samen met twee Vlaamse
gaaien.
'Ik wil iets zeggen,' zei ze. 'Wees zo goed me niet in de rede te
vallen tot ik klaar ben.'
Ma die iets eiste? Dit was nieuw.
'Ted, ik heb er genoeg van om het altijd met jou eens te moeten
zijn. Ik ben dom geweest, maar dat is nu voorbij.'
Pa legde zijn vork neer en leunde achterover in zijn stoel. Ik
zag dat hij verbijsterd was.
'Cass, ik ga weg en ik zou graag willen dat jij meekomt. Ik
denk niet dat je het doet, maar ik smeek je om hier weg te
gaan.'
'Waar ga je naartoe?' vroeg ik.
'Louisiana.'
Daar was ze geboren. Haar zuster was lerares en haar zwager
had een aaswinkel/biertent/rivierkreeftrestaurant diep in het
moeras.
Pa lachte ongelovig. 'Hoe kom je aan geld? Alles staat op mijn
naam. Je krijgt geen rooie cent van me.'
'Ik ga als serveerster werken voor Suzanne en Charlie.'
'Als serveerster?' Ik kon niet verbergen dat ik geschokt was.
'De vieze borden van andere mensen opruimen? Bestellingen
opnemen en als voetveeg behandeld worden?'
'Waarom niet?' zei ma. 'Dat doe ik hier ook.'

Oooké. Daar had ik even niet van terug. Ma had groot gelijk
en dat gaf me geen goed gevoel. Maar net als pa moest ik mijn
situatie overdenken.
Ma hield van me. Dat wist ik. Maar dat zou ze altijd blijven
doen. Als ik vertrok, zou pa niets meer met me te maken wil-
len hebben. Om pa en ma te hebben, moest ik bij hem blijven.
Mijn vrienden woonden hier. Mijn hele leven was hier. Wilde
ik echt een groot huis in een fantastische buurt opgeven om in

het moeras te gaan wonen en zwemvliezen tussen mijn tenen te laten groeien?

Die zwemvliezen tussen mijn tenen zou ik nu graag willen hebben. En desnoods schubben en een gevorkte tong. Ik zou liever rivierkreeften vangen en aas klaarmaken dan hier liggen. Geen moeilijke keus. Wie zegt er nou: 'Hé, geef mij maar een plekje in een kist onder de grond?'
Stop.
Geen kist. Niet onder de grond.
Mijn ademhaling sloeg op hol. Ik ademde diep in en hield de lucht vast. Ademde langzaam uit.
Die woorden mocht ik niet toelaten tot mijn hoofd. Ik voelde de adrenaline door me heen razen. Ik werkte weer aan zen.
Kalm, sterk en beheerst.
Terug naar Teds Lessen.
Het plan de campagne.
Eén: wat is mijn doel.
Makkelijk zat. Ik wil uit die kist. Boven de grond.
Oké.
Twee: hoe bereik ik mijn doel?
Ik kan niet gaan graven. Ik weet niet hoe diep ik lig. Dan stik ik misschien.
Ik zou kunnen wachten tot iemand me vindt.
Hoe groot is die kans?
Ik snikte weer en mijn keel werd dichtgeknepen.
Kalm aan, Cass. Ademen. In, uit. Langzaam in, langzaam uit.
Fijn. Redding – vergeet het maar.
Dus?
De enige manier om hieruit te komen is via die gozer die me hierin heeft gestopt. Ja, vast.
Maar denk nou eens even goed na.
Als Kyle me wilde doden, zou ik allang dood zijn. Om me te laten weten dat het uit wraak voor David was, kon hij hier een bandje afdraaien. Dan was er geen luchtpomp nodig.

En hij heeft me een walkietalkie gegeven.
Hij is nog niet klaar met me.
Hij wil iets van me.
En als ik één ding van mijn vader heb geleerd, is het dit: als iemand iets van je wil, kun je een deal sluiten.

BEN

Op zaterdagavond liep Ben het politielab binnen. 'Laat maar zien.'

'Wat wil je eerst? Wat je niet hebt of wat je wel hebt?'

'Geef me eerst maar het slechte nieuws,' zei Ben.

De vrouw trok een dossier uit een stapel op haar bureau. Ze sloeg het open bij een rood plakkertje en liet een gelakte nagel langs de bladzijde glijden.

'Blanco voor dagboek, agenda, blog, e-mail, voicemail en IM. De vingerafdrukken in haar kamer zijn van de werkster, vader, haarzelf, beste vriendin en, opvallend voor een tiener vind ik, niemand anders. Nada. Dit kind laat niet veel mensen in haar kamer.'

Ze haalde haar schouders op. 'Of misschien hebben ze een goede werkster. Tapijt. Ik ben dol op tapijt. Wol. Dat houdt voetafdrukken vast als een handschoen. De print die je hebt gezien is de beste van zes. Maar het grote nieuws is dat er glasscherven in die afdruk zitten.'

'En dus?' Ben glimlachte.

'Nou, dan moet de dader sneetjes hebben in zijn zool. Misschien zelfs stukjes glas.'

Ben wreef zich in zijn handen. 'Nog meer?'

'Aan de diepte van de afdruk te zien, droeg hij iets zwaars toen hij naar het raam liep en op het glas stapte.'

'Kan hij niet gewoon zelf zwaar zijn?'

'Er is een gedeeltelijke afdruk bij een boom in de tuin. Waarschijnlijk van dezelfde schoen. Het verschil in diepte zegt iets over het gewicht. Hij droeg beslist iets toen hij naar buiten ging. Ik denk dat hij een tijdje in het donker naar het huis heeft staan kijken en die afdruk achterliet in de aarde rond de boom. Hij was behoorlijk voorzichtig. Verder geen voetsporen buiten. Geen vingerafdrukken binnen. Ik doe nu tests met de lakens om te zien of ik drugs kan vinden. Als hij haar daar een injectie heeft gegeven, heeft hij misschien een druppel gemorst. Dat moet te vinden zijn in katoen.'

Ben deed zijn mond open om iets te zeggen.

Een priemende gelakte nagel legde hem het zwijgen op. 'Terug naar de blanco's. Geen haar. Droeg blijkbaar een pet. Niets van onder de schoenen. Alleen wat aarde uit de tuin. Blijkbaar waren de lakens die dag verschoond. Zelfs amper huidcellen van het slachtoffer. Ik denk dat ze is meegenomen vlak nadat ze is gaan slapen.'

'Ja,' zei Ben. 'Dat klopt met het wachten onder de boom. Het kan dus een geïmproviseerde misdaad zijn. Iemand ziet haar, volgt haar naar huis en wacht zijn kans af om haar te ontvoeren. Of het is iemand die het meisje kent en weet waar ze woont en hoe hij daar kan komen.'

'Een beveiligde woonwijk?'

'Ja, maar doodsimpel om er binnen te komen.'

'Ik bel je als de drugtests iets opleveren.'

'Waarom had ze nou geen dagboek?' zei Ben.

'Ik wou dat ze allemaal pratende honden hadden.'

'Je hebt een dochter, hè?' vroeg Ben.

'Ze is zestien. Ze kent het meisje dat ontvoerd is. Vannacht slaapt ze bij mij op de kamer.'

KYLE

Ik keek de grote smeris aan en daarna de jonge. 'Hebben jullie broers?'
De grote knikte. De jonge zei: 'Twee zusters.'
'Ouder of jonger?' vroeg ik aan de grote smeris.
'Hij leeft niet meer. Doodgereden door een dronken automobilist toen hij amper twintig was. Samen met zijn vriendin. Hij was zeven jaar ouder dan ik.'
'Hadden jullie vaak ruzie?'
De grote smeris sloeg zijn armen over elkaar. 'Hij zal er wel schoon genoeg van hebben gehad dat ik om hem heen hing. Hij was mijn held. Hij leerde me basketbal en honkbal, en hield me uit de problemen.'
'Ik was drie jaar ouder dan David en had ook vaak genoeg van hem. Als hij bij mij in de buurt was, kwam ik in haar gevarenzone. Ze gilde tegen hem, ging tekeer over zijn cijfers, zijn kleren of hoe hij eruitzag, en dan kwam hij onze kamer in rennen, waar ik me probeerde te verbergen. Ze was nooit uitgeraasd, ze koos alleen een ander doelwit. Zodra ze mij zag, begon ze tegen mij te tieren. Waarom zat ik daar te lezen terwijl het vuilnis buitengezet moest worden en de ramen gelapt moesten worden? Ze was onze slaaf toch niet? Ze hoefde niet te sjouwen en te koken en schoon te maken voor een stel ondankbare honden. Jezus, ze kookte niet eens voor David, en we deden al vanaf ons tiende of zo onze eigen was.'

Ik steunde mijn hoofd in mijn handen. 'Soms probeerde ik David mee te nemen naar het park of de bioscoop of zo, zodat hij even bij haar weg was. Maar dan belde ze me op mijn mobieltje. Krijste tegen me dat David onmiddellijk thuis moest komen. Hij moest zijn kamer opruimen. En ik moest het gras maaien. Wat dacht ik wel? Dat ik het gras van alle anderen keurig kon onderhouden, terwijl ons eigen huis er verwaarloosd en verlaten uitzag? Moest de hele buurt haar nou altijd uitlachen om haar zonen?

Ik dacht dat ik op school wat rust zou krijgen. Maar als zij niet belde om te klagen over David, belde David me wel huilend omdat ze hem niet met rust liet. Ik besefte zelf niet hoe nors en somber ik was geworden. Ik ging weinig met de andere jongens om. Ik hing niet rond in bars, vanwege het lawaai. Mijn kamergenoot deed een hoofdvak literatuur en gaf me de bijnaam Lord Byron. Hij vertelde iedereen dat ik telkens gebeld werd en dat hij dan iemand hoorde huilen aan de lijn. Hij vroeg of ik mijn zusje neukte. En toen ik zei dat ik alleen een broer had, ging het gerucht dat ik mijn broer neukte. Nee, college bracht me niet de redding waarop ik had gehoopt. Ze nam nooit gas terug. Het maakte niet uit dat ze me niet meer zag.'

Ik keek op. 'Er. Kwam. Geen. Eind. Aan.'

Ik drukte mijn handpalmen tegen mijn oren. 'Het was om gek van te worden.'

CASS

Je kunt altijd een deal sluiten. Dat zei Ted zo vaak. Je moet het alleen zien en het juiste moment kiezen. Kon ik een deal sluiten met Kyle? Ja, zeker weten. Ik had zoiets al eerder gedaan. Ik had het juiste moment en de juiste persoon gevonden om een deal te sluiten waardoor ik als eerste junior Homecoming Queen werd.

'Hé, Derek.'
'Hé, Cass. Je ziet er fantastisch uit, zoals altijd.'
Glimlach/hoofd schuin. 'Derek, zullen we even naar buiten gaan om te praten?' Het terug-naar-school feestje rook naar bier en klonk als zwaar onweer.
De muziek volgde ons tot buiten bij het zwembad, maar ik nam Derek mee naar het verste eind, draaide me om en keek glimlachend naar hem op.
'Cass, al zou ik best willen, ik weet dat je me niet hebt meegenomen om te vrijen. Zeg het maar.'
'Derek. Heeft het footballteam er niet schoon genoeg van dat er elk jaar een band-nerd Homecoming King wordt? Vind je niet dat jij na twee zware trainingen per dag en al die harde wedstrijden recht hebt op je foto in het jaarboek? Waarom zou die eer naar iemand gaan die zich hooguit snijdt aan zijn bladmuziek?'
Dereks glimlach verstrakte. Ik had de juiste knop gevonden.

Ik drukte hem in. 'Ik vind het oneerlijk. Homecoming gaat over football. *Maar de band is gigantisch en ze stemmen allemaal op hun eigen kandidaat voor Homecoming Queen. En de partner van de Queen is de King.'*

'En wat moet ik met deze geschiedenisles?' vroeg Derek.

'Dit jaar gaan we er iets aan doen.'

'Cass, je hebt mijn volle belangstelling,' zei Derek.

Ik hoefde niet meer te glimlachen of mijn hoofd schuin te houden. Ik had hem zijn eigen tekortkoming verkocht. Ik trok hem omlaag en we gingen in het gras zitten. Ik telde de pluspunten af op mijn vingers.

'Jij bent de beste quarterback die onze school in jaren heeft gehad. Je hebt zelfs kans op All State. Je bent een echte ster. En je hebt geen vaste vriendin. Ik ben het meisje op wie iedereen stemt. Ik zorg er al twee jaar voor dat mijn naam op alle verkiezingslijsten staat. Iedereen ziet continu mijn naam. Ze zien continu mijn gezicht, ik glimlach continu, en ze leren op mij te stemmen. Samen kunnen we onze stemmen meer dan verdubbelen.'

'Maar...'

Ik legde een hand op zijn knie. 'Laat me uitpraten. Alle leden van het team stemmen op mij. Niet alleen varsity – ook jv, *sophomore, freshman, allemaal. En het wordt ze duidelijk gemaakt dat elk lid van een team met een vriendin haar ook op mij laat stemmen. Dat is hij verplicht aan zijn varsity quarterback. Denk daar eens even over na, Derek.'*

Derek fronste zijn wenkbrauwen. Toen keek hij me aan alsof hij de zon zag opkomen. 'Veel van die vriendinnen zitten in de band.'

'Precies. We stellen niet alleen stemmen veilig bij de football-teams, wat jullie niet hebben gedaan, maar we stelen ook stemmen van de band. En zo word jij Homecoming King. De varsity quarterback. Zoals het hoort.' Ik had het voor hem ingepakt en er een strik om gedaan.

'En wij dan? Jij-en-ik bedoel ik.'

'We hebben een leuke tijd. We gaan samen uit, naar plaatsen waar we gezien worden. Als jij in je eigen tijd met een ander wilt omgaan, is het oké. Na Homecoming zit je niet meer aan me vast. We doen dit omdat het zo hoort, en ook omdat het goed staat op mijn cv. Maar eigenlijk heb ik er gewoon genoeg van dat de band Homecoming altijd voor zich opeist.'

Derek stond op en hielp me overeind. Hij omhelsde me en schudde toen mijn hand om de deal te bevestigen.

'Afgesproken, Cass McBride.'

Als ik een deal kon sluiten met Derek, kon ik dat ook met Kyle. Waar was Kyle nu? Het was waarschijnlijk zaterdagnacht. Kyle was naar huis om te slapen. Het was nacht en ik lag alleen in deze kist en niemand wist waar ik was.

Ik verloor mijn zelfbeheersing. Deze keer raakte ik niet in paniek, maar mijn verdriet werd me te veel. Ik dacht dat ik geen tranen meer over had, maar toch kwamen ze. En verdriet zit midden in je borst. Je hart breekt niet; het lost op, lekt weg, en het doet pijn. Het doet zo'n pijn.

Ik wilde bij mama zijn. Ik wilde dat ze me vasthield en mijn haren van mijn voorhoofd streek en dat *cajun*-slaapliedje zong waarmee ze me altijd kalmeerde als ik een nachtmerrie had. Ik wilde haar knuffelen en haar shampoo ruiken, geen aarde en pies.

Een gloeiende pijnbal in mijn linkerkuit onderbrak mijn zelfmedelijden. De spier was keihard. Kramp? Denk na. Trek je tenen naar achteren, niet naar voren. Hard. Trek hard. Ik drukte mijn hiel stevig tegen het ruwe oppervlak. Jezus, wat een pijn. Ik kon niet met mijn vingers bij mijn tenen komen, dus moest ik mijn spieren dwingen mijn tenen naar achteren te trekken.

Ik zou het winnen van deze pijn.

Cass McBride krijgt wat ze wil.

Ik dwong mijn hiel nog harder omlaag en mijn tenen verder naar achteren.

Mijn rugspieren waren verkrampt. Doordat ik mijn tenen naar

achteren trok? Of doordat ik al zo lang in dezelfde houding lag? Mijn keel kneep dicht.

Daar was de paniek weer. Als een grote zwarte gier die met gespreide vleugels boven me zweefde. Voortdurend op de loer.

Ik schreeuwde. Gilde mijn keel weer aan flarden. Ik krabde en klauwde naar de deksel van de kist, beukte heen en weer, ramde met mijn schouders tegen de zijkanten.

Jezus, ik moest kalm worden. Stop. Toe nou. Toe nou, Cass. Stop.

Ik moest deze nacht overleven.

Kon ik slapen? Zou ik dan nog wakker worden? Hoe kun je slapen als je de paniek verdrijft met pijn?

Nee, ik kon niet slapen.

Maar ik kon wel kalm worden.

Hoe ging het liedje van mijn moeder ook alweer?

> *Front, petit front*
> *Yeux, petits yeux*
> *Nez de croquant*
> ...
> *Quiriquiqui*

Dat liedje kon ik zingen. Ik kon langzaam in- en uitademen. Ik zou deze nacht overleven.

BEN

'Zeg me dat jullie iets hebben,' zei Ben. De vier agenten die op de zaak gezet waren, zaten onderuitgezakt op aluminium stoelen rond een oude tafel. De eerste agent keek op van zijn aantekeningen. 'De coördinatoren kwamen allemaal naar de school en begonnen kinderen te bellen die het meisje kenden. Ze zeiden dat ze naar school moesten komen als ze iets wisten of ons iets over Cass wilden vertellen, en dat ze het aan iedereen moesten doorgeven. De zaterdag maakte het moeilijk, maar we kregen een hele scheepslading kinderen. Sommigen wilden aandacht, een paar wilden ergens anders zijn dan thuis, en sommigen vonden het gewoon spannend. Maar je kunt nooit weten. Kort samengevat na zeven uur luisteren naar al haar "goede vrienden": Cass McBride was verwaand, het aardigste meisje van de school, een kreng, een engel, rijker dan goed voor haar was, waanzinnig gul, een slet, een ijsprinses, hartelijk, verlegen, labiel, iemand die wist wat ze wilde en hoe ze het kon krijgen, slim, zo dom als een tuinstoel; en wat er ook gebeurt, ze verdient het omdat ze mensen als vuil behandelt, of ze verdient zoiets echt niet omdat ze het met iedereen goed kan vinden.' Hij sloeg zijn aantekenboekje dicht. 'Het bekende verhaal. Als ze aardig tegen ze is, zijn ze dol op haar. Anders kunnen ze haar wel schieten.'

De agent fronste zijn wenkbrauwen en bladerde weer in zijn

aantekeningen. 'O ja, Susan Allison – wil Firefly genoemd worden, raar kapsel, oorringen zo groot als golfballen, en een heleboel zwart-met-witte make-up – zegt dat ze bijna zeker weet dat Cass zwanger is.'

'Zwanger?' herhaalde Ben.

'Ja, zwanger. Firefly heeft haar een paar dagen geleden 's ochtends zien overgeven.'

Ben maakte aantekeningen op een whiteboard. 'Wedden dat Cass en Firefly geen vriendinnen zijn?' Hij schreef 'zwanger' op het bord. 'Daar besteden we nu geen tijd aan. We kunnen het aan haar beste vriendin vragen. Maar ik denk van niet.'

Hij wees naar het bord. 'Leatha. Die klinkt overtuigend. Volgens mij heeft ze Cass goed beschreven. Maar daar schieten we voorlopig niets mee op.'

Ben keek naar de klok. Naar het bord. En weer naar de klok. 'De eerste vierentwintig uur zijn voorbij, en we hebben helemaal niets?'

KYLE

'Ik weet niet waarom ik niet begreep dat David Cass zou kiezen, toen we het plan maakten. Ik bedoel, jullie hebben haar gezien. Ze lijkt toch een soort oude, harde versie van Cass? En ze wist wie Cass was. Ze vroeg altijd om ons schoolblad en keek in de plaatselijke kranten, en daar stond Cass altijd in. Ze vertelde ons telkens dat zij vroeger precies zo was, alleen was zij ook nog cheerleader. Ze was zo populair op de high school, ze stond altijd in de krant, ze was Miss Wonderful. Of ze tierde dat Cass tenminste een vader had die goed verdiende. Voor Cass' vader hadden de mensen respect. Haar familie was lid van een country club. Cass was een kind om trots op te zijn. Cass hing niet rond in het halfduister. Voor Cass hoefden haar ouders zich niet te schamen.

Waarom zag ik het niet aankomen? Ik weet het niet. Maar ik had nooit gedacht dat David zo hoog zou mikken.'

Ik kon haar bijna de vraag horen stellen die ik niet wilde horen. *Wie heeft David verteld dat hij hoog moest mikken? En wie heeft hem geleerd om in die boom te klimmen?*

'Ben je er nog?'

De angst had me uitgeput, en die razende dorst was slopend, maar door zijn spot was ik meteen klaarwakker. Ik moest hem te slim af zijn.

'Ja, ik ben er.'

'Je stelt me teleur. Ik dacht dat je zou gillen of in elk geval huilen. Was je bang dat ik niet terug zou komen?'

Ik balde mijn linkerhand tot een vuist, maar beheerste me. Was het nog zaterdag? Of was het zondag? Hoe kon ik dat weten? 'Je bent een beetje te lang weggebleven. Daardoor heb je dat allemaal gemist.' Ik zuchtte hard genoeg voor de walkietalkie. 'Ik ben uitgeschreeuwd. Drooggehuild. Ik kan alleen nog wachten. Tot jij komt of ik sterf.' Ik zweeg een lange tel. 'Jij hebt alle troeven, hè?'

Hij liep over me heen. Er kwam ruis uit de walkietalkie en hij zei niets. Dat had hij niet verwacht. Mooi zo.

'Ja, als je iemand levend begraven hebt, kun je dat wel zeggen.'

Mijn hart kromp weer samen. Je mag je tegenstander nooit onderschatten. Ik probeerde mezelf ervan te overtuigen dat ik niet in een kist onder de grond lag. Ik lag in het gras, onder de sterrenhemel, met mijn ogen dicht.

Toen ik voelde dat mijn bloed eindelijk weer werd rondgepompt, dacht ik: niet smeken, niet eisen; zorg ervoor dat je klinkt alsof je respect voor hem hebt. 'Ben jij de enige die praat, of mag ik ook wat vragen?'

'Dat hangt van de vragen af,' zei hij. Dat waren de woorden. Zijn toon zei: zet me niet onder druk.

'Ten eerste, mag ik zijn naam zeggen?' Goed zo, Cass. Vraag zijn toestemming. Laat hem denken dat hij de baas is. Ik likte aan mijn lippen. Ze waren zo droog.

'Kreng, ik *wil* dat je zijn naam zegt. *David*. Hij is niet iets wat je van je schoenzool schraapt. Daarom ben je hier. Hij was een mens en jij hebt hem als vuil behandeld en nu leeft hij niet meer.'

Deze onverwachte uitval vol haat verraste me. Ik wist dat hij krankzinnig was, maar zijn soort krankzinnigheid had koel en berekenend geleken. Dit was labiel gedrag en dat was veel gevaarlijker. Ik snakte weer naar adem. Kalm aan, Cass. Kalm aan.

'Ik heb je gehoord... en ik zal de waarheid niet ontkennen. Ik weet dat ik verantwoordelijk ben voor David.' Kyle zweeg. Ik maakte er gebruik van en ging verder. 'Ik ben inderdaad zo egocentrisch als jij zegt, maar ik kende David niet.'

'Je wilde hem niet kennen.'

Ik wachtte een paar seconden en liet mijn stem zacht en verzoenend klinken. 'Hij heeft me mee uit gevraagd en ik zei dat ik het druk had. Ik schreef een naar briefje. Hij vond het en het spijt me dat dat is gebeurd. Maar ik wist niet dat ik meer was dan een vlekje op zijn radar. Ik wist niet dat ik zo belangrijk kon zijn voor hem – voor wie dan ook.'

'Hang niet het onschuldige kleine meisje uit.'

Ik gaf Kyle weer even tijd om af te koelen.

'Ik wil dat je me over David vertelt.'

Ik wachtte. Hij zei niets. Ik ademde wat dieper. Kalmeerde. 'Ik begrijp niet dat je zoiets als... dit zou willen doen. Je vindt blijkbaar dat ik het verdien. Als ik zoveel... schade heb aangericht, dan... Ik weet niet wat ik ervan moet denken. Ik moet meer over David weten om te kunnen begrijpen hoe ik hem dit heb aangedaan. Kun jij het me uitleggen?'

Hij drukte de knop van de walkietalkie in, maar zei niets. Ruis. Dat verduidelijkte een hoop.

'Ik help je niet om je beter te voelen,' zei hij ten slotte. 'Ik vertel het om je te laten lijden.'

Het kon me niet schelen waarom de schoft praatte. Als hij er maar mee doorging.

En ik blijf het met je eens zijn, Kyle, zodat jij me iets geeft om te gebruiken. Ik ken mijn eigen angst. Ik wil weten wat jouw angst is.

Hij zweeg een hele tijd. Te lang. Hij had een zetje nodig.

'Ik wil me niet bemoeien met iets wat alleen jou en David aangaat.'

Stilte.

'Maar ik heb gehoord dat hij een briefje heeft achtergelaten.'

'Ja, David heeft een briefje achtergelaten. Daarom lig jij in die kist.'

De woede was even opgelaaid en was nu weer ijzig.

'De politie heeft het meegenomen, maar ze hebben ons een kopie gegeven. Om te zien of wij er iets van begrijpen. Ik heb geen kopie nodig. Ik zal er nooit een woord van vergeten. Zullen we eens kijken of jij begrijpt wat David bedoelde?'

De walkietalkie ging uit. Huilde hij nou?

Of vocht hij om niet te huilen?

De walkietalkie ging weer aan.

'Het briefje was aan niemand gericht. Hij schreef het met een stift op een wit vel papier. Een zwarte stift. Niet dun en niet dik. Nette blokletters. Makkelijk te lezen. Niets melodramatisch zoals druipende letters in zijn eigen bloed. Hij heeft zelfs een veiligheidsspeld gebruikt – een *veiligheidsspeld* – om het aan zijn borst vast te maken. Hij heeft de speld door zijn huid en wat vetweefsel gestoken, en weer naar buiten en daarna keurig in het kapje aan het eind. Zo is David. Netjes en precies. Hij wilde niet dat het briefje wegwoei.'

De walkietalkie klikte weer uit.

Waarom? Kyle had het moeilijk. Zijn emoties waren heftig

en lagen dicht aan de oppervlakte. En hij wilde niet dat ik het wist.

Zwakte.

De zwakte van mijn vijand is mijn voordeel.

Maar ik had hem al eerder onderschat. Als ik te veel druk uitoefende, of te snel, zou hij misschien gewoon weglopen.

De walkietalkie ging weer aan.

> *'Woorden zijn tanden. Ze verscheuren me levend.*
> *Eet nu mijn lijk maar.'*

BEN

'Heb jij iets, Tyrell?' Ben liet zijn vingers als spinnenpoten door de lucht lopen.

Tyrell schudde zijn hoofd. 'Nee, geen rare ingevingen. Voor insecten moet je bij Roger zijn.'

'Arachniden,' zei Roger.

'Gezondheid. Ik heb alleen maar jongens gesproken die ze afgewezen heeft. En meisjes die jaloers waren. Meisjes die wilden dat ze haar konden zijn. Verder niets. Die hele school is een ramp. Dinsdag een zelfmoord. En dan vrijdag een ontvoering.'

'Ja, dat vind ik ook,' zei Roger. 'Ik krijg er de kriebels van. Maar niemand ziet een verband.'

'Daar komen we nog op terug.' Ben wees naar Roger. 'Nu jij.'

'Ik heb met de leraren gesproken. Ik heb een goed bandje van een lerares Engels, dat jullie moeten horen. De andere leraren van Cass denken allemaal min of meer hetzelfde over haar. Ambitieus. Ze glimlacht, geeft complimenten en zegt de goede dingen. Maar de slimme zeggen dat ze zich gemanipuleerd voelen. "Bewerkt", noemde iemand het. Maar ze is een goede leerling. Ordelijk. Doet altijd haar huiswerk. Geen gedragsproblemen. Goed gekleed en verzorgd. Prettig in de omgang. Blabla. Het type dat je aanbeveelt aan universiteiten, maar met wie je geen nauwe band krijgt. Maar de geschiedenisleraar...'

Hij zweeg.

'Wat is daarmee?'

'Hij was helemaal van streek. Het was al de tweede keer deze week dat de politie met hem kwam praten. De jongen die zelfmoord heeft gepleegd, had hij ook in een van zijn klassen.'

Ben ging naar voren zitten. 'Wist hij of Cass...'

'Hem kende?' maakte Roger de zin af. 'Ze zat met geschiedenis bij hem in de klas. Maar volgens de leraar gingen ze niet met elkaar om. Voor haar stond de jongen gewoon te laag op de sociale ladder. Voor bijna iedereen, eigenlijk. De leraar dacht dat Cass waarschijnlijk niet eens zijn naam kende, tot er een minuut stilte was gehouden in de klas op de dag dat zijn dood bekend werd gemaakt.'

'We moeten...'

'Ik heb al navraag gedaan naar de jongen. David Kirby, heette hij. Zelfmoord officieel vastgesteld. Geen enkele aanwijzing voor iets anders. Briefje op zijn lichaam gespeld. Ik heb met de leider van het onderzoek gesproken. Hij zei dat de moeder opgehangen had moeten worden. Een monster. Ik heb McBride gebeld en gevraagd of Cass David Kirby kende. Hij zei van niet. Hij had niet eens gehoord dat de jongen dood was. Cass is niet naar de begrafenis geweest. Er lijkt geen verband te zijn.'

Ben en Roger keken elkaar aan. 'En toch,' zei Ben.

'Ja, het voelt verkeerd,' antwoordde Roger. 'Of juist goed.'

Ben keek op de klok. 'Het is twee uur. Laten we even wat gaan slapen en dan om zeven uur weer hier zijn om naar het bandje van de lerares te luisteren.'

KYLE

'Ze wilde niet veel met hem te maken hebben. Behalve als ze tegen hem tekeerging. Hij was net een jong hondje. Heel lief, maar ik moest hem de hele tijd in de gaten houden. Hij kon niet voor zichzelf zorgen. Iedereen had hem met één flinke trap kunnen doden. Toen we klein waren, vond ik het fijn om voor hem te zorgen. Maar toen hij naar school ging, werd hij gepest. Hij wist niet hoe hij zich moest gedragen. Er is iets met een kind dat te graag wil. Dat de mensen hem aardig vinden, bedoel ik. Het is net of de andere kinderen die wanhoop ruiken. Daardoor veranderen ze onmiddellijk in bloeddorstige haaien.
Ik wilde cool zijn. Op de achtergrond blijven en indruk maken. Maar ik moest telkens David te hulp komen. Thuis was ik daaraan gewend, maar nu kon hij verdomme niet eens de andere eersteklassers aan. Ik kreeg er genoeg van. Altijd maar dat lawaai, huilen, schreeuwen en schelden. Ik hield van David. Ik hield van hem. En hij had me nodig. Maar mijn god – hij was de oorzaak van al mijn problemen. Zo zag ik het toen.
Ik dacht dat het beter zou worden als ik naar college ging. Maar dat was niet zo. Het werd nog veel erger.'

CASS

Dat afscheidsbriefje hakte erin bij mij.

Woorden zijn tanden. Ze verscheuren me levend. Eet nu mijn lijk maar.

De tranen prikten in mijn ogen. Hoe ellendig moet je je voelen voor je zoiets schrijft? Had David Kirby het gevoel dat hij levend werd opgegeten? Was hij liever dood dan verscheurd te worden door mensen... zoals ik?

Voor het eerst sinds ik me kon herinneren, had ik medelijden met iemand anders dan mezelf.

'Heb je niets te zeggen?'

Ik had geen zin om te antwoorden, maar ik dacht aan de aarde die dan misschien door de luchtslang zou komen. 'Nee,' fluisterde ik.

'Nee?' Hij fluisterde ook. Het leek of hij vlak naast me was in de duisternis. 'Geen lollige opmerkingen? Niets over het dierenrijk? Niets over homo's?'

Hoe kon ik me hieruit redden, als het misschien echt mijn schuld was?

Ik kreeg het weer koud. Van binnenuit deze keer. Het vage gevoel dat ik dit niet aankon, dat ik mijn doel niet zou kunnen bereiken, begon steeds sterker te worden.

Maar ik wilde het overleven.

Ik moest het blijven proberen.

Zo was ik.

Pa zegt altijd dat mensen een tegenwerping verwachten. Ze zijn verrast als je met iets anders komt.

'Dus dit gaat over twee briefjes. Ik heb een briefje geschreven en daardoor heeft David dat van hem geschreven.'

Stilte.

'Ik had nooit gedacht dat David mijn briefje te zien zou krijgen. Het was niet bedoeld om hem te kwetsen,' zei ik.

'Probeer me die shit maar niet te verkopen.'

'Dat doe ik ook niet. Ik weet dat het David heeft gekwetst en dat het mijn schuld is. Ik probeer me er niet onderuit te kletsen. Ik denk terug aan die dag, en weet je, na alles wat er is gebeurd, zie ik sommige dingen anders.'

'Ja, een paar kleinigheden.' Het klonk sarcastisch, maar ook bedroefd. Het lukte Kyle niet om zijn verdriet te verbergen. 'Ik heb een paar vragen,' zei hij.

'Oké.'

'Probeer me niet te belazeren.' Hij klonk als een grommende hond.

'Jij hebt alle troeven.'

'Wanneer heeft hij je uit gevraagd?'

'Dinsdag. Nee, maandag. Dinsdag heb ik... over hem gehoord.'

'Hoe heeft hij het gedaan?'

Ik begreep niet wat hij bedoelde. Jezus, Kyle wist wat David had gedaan. Hij had het me net verteld, met alle gruwelijke details.

'Ik begrijp niet...'

'Hoe heeft hij je uit gevraagd, kreng? Hoe heeft hij het gedaan? En waar? Wat zei hij?'

'O.' Ik sloot mijn ogen en zag David voor me. 'Het was in de gang, vlak voor een les die we samen hebben... hadden.' Ik vertelde hem wat ik me van het gesprek kon herinneren. Ik zei natuurlijk niets over het getrek aan zijn oren.

'Wat zei je tegen hem?'

'Ik was aardig. Vooral omdat ik wilde dat hij op me zou stemmen voor Prom Queen. Ik zei dat ik het erg druk had en er nog op terug zou komen. Ik glimlachte naar hem alsof ik het echt van plan was.'

'En toen?'

De duisternis en de kou sloten zich om me heen. Als ik dat aan Kyle vertelde, zou hij dan de luchtslang lostrekken en weg-gaan?'

'De les begon.'

'Heb je toen het briefje geschreven?'

'Ja,' zei ik. 'Toen heb ik het gedaan.'

Ik voelde en hoorde gedreun boven me. Op me. *Beng! Beng! Beng!* Ik klauwde met mijn handen omhoog en krabde met mijn verwoeste vingertoppen aan de deksel van mijn kist. Het dreunen ging door. Sneller. Harder.

'Wat is dat? Wat doe je?'

Nog één harde klap.

'Waarom?' vroeg Kyle met een harde, gespannen stem. 'Je had nee gezegd. Je liet hem staan. Waarom schreef je dan dat brief-je? Waarom moest je hem zo met de grond gelijkmaken?'

'Ik weet het niet! Echt niet!' Ik gilde. 'Hou op. Wat doe je?' De trillingen en het lawaai, ik begreep niet...

'Ik sla met de schep op je graf. Ik wou dat het je hoofd was. Zeg het. Zeg me waarom je dat briefje schreef.'

'Ik...'

Ik begon te snikken. Geen aanstellerij. Diep van binnenuit. Toen ik over Kyles vraag nadacht, zag ik opeens pa's gezicht toen hij mijn koning omversloeg met die van hem. Wat had ik me toen verraden en... onbelangrijk gevoeld.

'Het is gestoord, maar het is net alsof ik me pas goed kan voe-len als ik iemand anders omlaag trap. Ik weet niet waarom. Ik had nooit gedacht dat David het briefje zou lezen. Dus kon ik me superieur voelen zonder dat het hem kwetste.'

'Je bent een stuk ellende.'

Ik zuchtte toen ik me nog iets realiseerde. 'Waarom zou ik anders iedereen kapot moeten maken om me zelf heel te voelen?' Ik voelde me kalmer worden toen ik het zei. Werkt de waarheid bevrijdend? Moest ik blij zijn met deze vrijheid? Sodemieter op.

'Hoe kreeg David het briefje te pakken?' vroeg Kyle.

Ik vertelde het.

Ik verwachtte een stroom vloeken. Of iets anders, maar in elk geval niet wat er kwam.

Een zucht. Van afkeer?

'Dat is nou echt David, hè? Alsof er al niet genoeg ellende op hem af komt, moet hij er ook nog zelf naar gaan zoeken.' Hij klonk moe en bedroefd, maar ik hoorde ook iets van ergernis.

Kon ik daar iets mee doen?

Ik veegde mijn neus af en probeerde mijn keel te schrapen, met de walkietalkie uitgeschakeld. Daarna drukte ik weer op de knop.

'Er is iets dat ik niet begrijp...' zei ik.

Stilte.

'Ik verwachtte dat David het briefje aan iemand zou laten zien. Om te bewijzen wat voor kreng ik ben. Dat zou ik doen. Als iemand me kwetst, neem ik wraak.'

'Niet iedereen is zoals jij.'

'Jij wel,' zei ik zo zacht en ontspannen mogelijk. 'Ik heb je broer gekwetst en jij neemt mij te grazen. Dat begrijp ik. Echt.'

Voetstappen. Hij liep over me heen.

'Maar David heeft mij niets gedaan. Hij heeft zichzelf als slachtoffer gekozen. Dat begrijp ik niet. Hoe kan iemand dat nou doen? En dan ook nog om een briefje dat ik heb geschreven? Dat bewees toch dat ik een verwaand kreng ben? David was slim genoeg om dat te begrijpen.'

Hij bleef heen en weer lopen.

Ik praatte verder.

'Ik kende David niet. Als jij... dit voor hem doet, moet hij bijzonder zijn geweest. Geen loser. Jij zei dat hij niet dom was. Dan had hij moeten begrijpen hoe ik ben. Jij begrijpt dat.'

'Hou je bek!'

Zo.

Het was gelukt.

Kyle was de controle kwijt.

Deze keer had hij het echt tegen mij. Dat was een groot verschil.

Ik wist dat het maar tijdelijk was. Hij was nog steeds daarboven en ik hier beneden, maar het was de eerste schermutseling waarin ik een klein voordeel had behaald. Nu moest ik het vasthouden.

'Natuurlijk,' zei ik. 'Ik zeg al niets meer.'

'Kop dicht. Je bent net als zij. Je houdt nooit je bek. Het geklep gaat maar door en ik krijg geen...' Hij zweeg.

Over wie had hij het in vredesnaam? Welke zij?

'Wil je meer weten over David? Goed, dan zal ik je over mijn broertje vertellen.'

BEN

Ben schreef David Kirby's naam op het whiteboard en trok een lelijk gezicht. 'Roger?'
Roger zette een tape recorder aan. 'Dit is het beste vraaggesprek dat ik heb opgenomen. De lerares Engels. Ze heeft Cass twee jaar achter elkaar lesgegeven.'
'Laat maar horen,' zei Ben.

'*Dit is een verklaring van Cynthia Forman. Ze geeft les aan de Sterling Valley High School en spreekt met agent Roger Oakley.*'
'*Cass McBride. Ja. U wilde meer over haar weten. Of ze populair is? Dat woord wordt niet meer zo gebruikt als wij het vroeger op school gebruikten. Cass en haar vrienden zijn cv-bouwers. Ze is rijk en aantrekkelijk en gelukkig vrij intelligent. Dit soort leerlingen stelt zich kandidaat voor de studentenraad omdat het goed staat op hun cv. Ze kunnen niet meer op een topuniversiteit komen met goede cijfers alleen. Een meisje als Cass wil Prom Queen en Homecoming Queen en voorzitter van de studentenraad worden om haar lijstje van de high school uit te breiden en zo goed mogelijk voor de dag te komen.*
De leerlingen die niet op topuniversiteiten proberen te komen, laten de cv-bouwers hun gang gaan. Ze hebben het niet nodig. Willen het niet. En het kan ze niet schelen. Dat levert een jaar-

boek op waarin je telkens weer hetzelfde groepje leerlingen te-
rugziet op de foto's. Ze zitten trouwens ook in de redactie van
het jaarboek. En de echte strebers, zoals Cass, laten het niet
bij school. Ze geven zich op voor hondenwasdag in het asiel
en zorgen ervoor dat ze op de foto komen. Veeg-Uw-Straat-
Schoon-Dag – zij is erbij en staat op de foto in de krant.
Toch is Cass niet zo kil als dit klinkt. Ze speelt het goed, maar
eigenlijk is ze een klein meisje dat zich onder haar rok laat
kijken. O, ik zie uw gezicht, agent. Zo bedoel ik het niet. Het
is een oude uitdrukking uit het Zuiden. Het betekent dat ze
dingen laat zien zonder het zelf te weten.
Bij poëzie heeft Cass interessante gedichten ingeleverd. Ik zal
er een voor u voorlezen:

Ik beklim de steile wand
van mijn vaders verwachtingen,
terwijl de grootse prestaties
die hij van me eist
me vertellen
hoe klein ik ben.
De steilheid trekt me,
al is er geen zachte plek
waar ik kan vallen.
Als ik niet klim,
sta ik in de kou.

'*Ik ben nooit erg goed geweest in poëzie, maar gaan er bij*
u alarmbellen rinkelen bij dat gepraat over haar vaders ver-
wachtingen?'
'*Nee, agent, u zit weer in de goot met uw gedachten. Ik geloof*
niet dat er in dat huis sprake is van seksueel misbruik. Maar
Teds liefde voor Cass is voorwaardelijk. Ergens diep vanbin-
nen weet ze dat. Dat maakt me verdrietig. Ik weet het, verdriet
om het arme rijke meisje. Wat goedkoop.
Wie haar meegenomen kan hebben? Dat is een raadsel. Haar

vader is rijk, maar ook weer niet zó rijk. Hopelijk denken haar ontvoerders van wel en leeft ze nog.'

'Goed gedaan, Roger. Dat klopt allemaal met de dichtbundel die we in haar nachtkastje hebben gevonden.' Hij staarde naar het bord. 'Het meisje heeft problemen met haar vader, maar ik geloof niet dat het iets te betekenen heeft voor haar ontvoering, hè?'
Hij keek de agenten aan en zette toen een streep door de naam van Ted McBride.

'Jij hebt vast nog wat beters,' zei Ben tegen de vrouwelijke agent.
'De vrienden en vriendinnen,' zei ze. 'Allemaal behalve het vriendje en de beste vriendin. Die twee wachten op je in de verhoorkamers.'
Haar aantekenboekje lag open, maar ze keek er niet in. 'Er is een heel stel meisjes die regelmatig met haar omgaan. Allemaal rijke ouders. Chique huizen en auto's. Mooie kleren, goede kapsels, verwende levensstijl. Een paar zijn er gepakt voor drugsbezit. Maar nooit veel, en pa's advocaat regelt het wel. Geen onaardige kinderen eigenlijk. Geen grote erfenissen om ze eeuwig rijk te houden. Dus moeten ze naar school om hun bevoorrechte leventje te kunnen voortzetten. Daardoor blijven ze eerlijk.
De jongens zijn net zo. Heel geschikt. Als je door de buitenkant heen prikt, krijg je telkens hetzelfde verhaal. Cass ziet de jongens op school alleen als oefenmateriaal. Als ik het goed begrijp, gaat ze in het footballseizoen met de aanvoerder van het footballteam, en in het basketballseizoen met de beste basketballer.'
Tyrell floot. 'Een trouwe supporter.'
Ze zuchtte. 'Ik heb een pistool en ik gebruik het ook als het moet.'
Hij hield zijn handen in de lucht om zich over te geven.

'Weet je wat het volgens mij betekent?' zei de agente.

Ben knikte. 'Ze is een tiener.'

'Ja, precies.'

'Tyrell, ga jij met de leraren en de directeur over David Kirby praten. Ik hou niet van toeval. En dit is wel heel toevallig. En zeg tegen het lab dat ze een beetje opschieten met de drug-tests,' zei Ben. Hij staarde weer naar het bord. 'De tijd begint te dringen.'

KYLE

Ik drukte mijn handen tegen mijn oren. Probeerde het geluid buiten te houden. Maar de geluiden waren in mijn hoofd. Ik kneep mijn ogen stijf dicht en probeerde niet te denken, maar de stem ging niet weg. De stem door de telefoon, op de avond dat ik het plan bedacht.

'Ze maakt me kapot, Kyle. Kom naar huis. Als jij er bent, is het niet zo erg.'
'Ontloop haar, David. Je kunt toch...'
'Nee, dat kan ik niet. Je weet hoe ze is.'
'Ja, dat weet ik. Ik hoor je en ik weet het.' Ik liep heen en weer door de kamer en luisterde naar Davids hortende ademhaling. Ik hield mijn mobiel weg van mijn oor om te kunnen denken. Het was nog maar net oktober en dit schooljaar was al erger dan het vorige. Ma was nog akeliger tegen David als ik weg was naar college dan wanneer ik thuis was.
Wat kon David doen om...
Ik hield de telefoon weer tegen mijn oor. David huilde. 'David, hou op met huilen en luister. Ik heb een idee. Misschien kunnen we haar voorgoed de mond snoeren.'

CASS

'Het begint bij haar.'

'Bij haar? Wat begint er bij haar?' vroeg ik.

'Opletten verdomme! Je wilt toch meer weten over David? Nou, dat begint bij haar. Bij mijn moeder. Een psych zou natuurlijk zeggen dat het bij háár moeder begint, en dan weer háár moeder, en zo terug tot een vrouw in een grot die haar dochter met een knots op haar hoofd mepte. Maar dat interesseert me geen moer. Dat is prehistorie.'

Hij stopte met praten, maar de ruis knetterde en kraakte. Kyle was razend.

'Mijn moeder was de blonde cheerleader, Homecoming Queen, het parasitaire kreng dat niet van plan was te werken voor haar brood.'

Hoewel ik al wist dat Kyle stapelgek was, schrok ik van die plotselinge uitbarsting. Hoe kon ik winnen van een absolute psychopaat die zijn moeder haatte?

'Ze was vast van plan de ster van het footballteam aan de haak te slaan, die medicijnen ging studeren. Hij zou natuurlijk beurzen krijgen, dus hoefde ze niet te werken om zijn studie te betalen. Zij niet. Nee hoor – een paar jaar studentikoos leven en dan luieren en genieten maar met een doktersplaatje op haar Jag.'

Zijn walktietalkie klikte uit. Maar ik voelde hem niet lopen. Ik denk dat hij stilstond. Dacht hij na over wat hij zou gaan zeggen?

Hij had een zetje nodig.

'Die footballster/student medicijnen was zeker je vader?'

'Je raadt het, Sherlock.'

'Vertel je me nou dat je moeder alleen met je vader is getrouwd om de vrouw van de dokter te kunnen worden? Niet omdat ze van hem hield?'

'Ja, dat zeg ik.'

Ik zweeg. Ik probeerde mijn benen te bewegen. Mijn knieën waren stijf en deden pijn, en ik kreunde toen ik ze probeerde te strekken. 'Toen ik in de krant over David las, stond er niet bij dat je vader dokter is.'

Kyle maakte een geluid dat waarschijnlijk als lachen bedoeld was. Maar het leek er niet op.

'Dat is hij niet. Ik was ma's truc om pa binnen te halen,' zei Kyle. 'Toen hij niet meteen na de high school wilde trouwen, maakte ze zich geen zorgen. Maar nadat hij de eerste studiejaren achter de rug had, zag ze de bui hangen en ze besloot er wat aan te doen.'

Ruis. Een geluid. Misschien een zucht.

'Ma ging tot actie over. De bruiloft was haastwerk, maar ma was tevreden. Ze was blij met mij. Ik was het slot op haar schatkist.'

Hij leek op een reactie te wachten.

'Shit,' zei ik.

Beng! Beng! Beng!

Weer de schep.

'Hou je bek!' schreeuwde Kyle.

BEN

'Je lijkt je geen zorgen te maken,' zei Ben.

'Ik heb niets te verbergen. Waarom zou ik me zorgen maken?'
De knappe, arrogante jongen hing op zijn stoel en leek er niet
van onder de indruk dat hij door de politie werd ondervraagd.
Ben had meteen schoon genoeg van hem en Scott ergerde zich
wild.

'Je vriendin wordt vermist en jij maakt je geen zorgen over
haar?' vroeg Ben.

De jongen zuchtte. 'Cass is niemands vriendin. Ze staat je
soms toe om haar mee uit te nemen.'

Ben ging achteruit zitten als teken dat Scott het moest over-
nemen.

'Ik geloof niet dat ik dat zou pikken. Wat bedoel je met "ze
staat je toe om haar mee uit te nemen"?'

Derek Richards glimlachte. 'Je moet het goed begrijpen. Ze is
mooi en gaat nooit lang met iemand uit, dus je weet dat je niet,
uh, emotioneel betrokken moet raken. Maar ze is leuk en kan
geestig zijn, en het voelt goed om met haar gezien te worden.
Het is een win-win deal.'

Scott ging achter Derek staan. 'We hebben gehoord dat ze ve-
nijnig uit de hoek kan komen.'

'Misschien ja. Ze maakt weleens grappen over sukkels en zie-
lenpoten. Maar ik heb haar nog nooit iets rots horen zeggen
over, je weet wel, een van ons.'

Scott maakte een pistool van zijn wijsvinger en duim en deed of hij Derek in zijn achterhoofd schoot. 'Ze vertelt geen shit over mensen die ertoe doen, bedoel je?' Hij liep rond om de jongen aan te kijken.

Derek glimlachte. 'Precies.'

Ben en Scott keken elkaar even aan. Wat een stommeling, dachten ze allebei.

'Wil je zeggen dat jij, of iemand anders die met Cass uitgaat, haar nooit zou willen pakken?'

Derek grijnsde. 'Willen pakken? Je doet te veel je best. Geef het toch op en praat als een oude vent. Ik kan het wel vertalen. Nee, ik heb geen reden om Cass te ontvoeren en ook niemand anders die met haar uit is geweest, denk ik. Het is niets voor Cass om moeilijkheden te krijgen met vriendjes. Daarvoor laat ze je gewoon niet dicht genoeg bij haar komen, begrijp je? Ze houdt het ontspannen.'

'Dat is duidelijk,' zei Ben. 'Kende jij David Kirby?'

Derek hief zijn handen op. 'Ho, dat was een snelle wissel. David Kirby? De jongen die zich van kant heeft gemaakt?'

Ben staarde de jongen aan om hem te laten voelen wat hij daarvan vond.

'Nou, rustig maar,' zei Derek. 'Ik kende hem niet. Ik ken zijn broer. Van een afstand in elk geval. Hij is een jaar ouder en we gingen niet met elkaar om. Tot hoe-heet-hij doodging, wist ik niet eens dat Kyle Kirby een broer had.'

'Dus David Kirby was een van die mensen die er niet toe doen,' zei Scott.

'Hé zeg, ik ben hier vrijwillig naartoe gekomen om met jullie te praten en nu draaien jullie de duimschroeven aan. Ik kende David Kirby niet. Kyle Kirby kende ik een beetje. Hij speelde honkbal. Hij ging uit met sexy meiden. Maar weet je, hij was eigenlijk net als Cass. Hij liet zich met ze zien, maar ik kan me niet herinneren dat hij ooit een vriendin heeft gehad. En er was nog iets raars met hem.'

'Wat dan?' vroeg Ben.

'De zomers. Dan werkte die gozer altijd. Als tuinman. Ik bedoel, hij bleef erdoor in vorm, maar… nou ja, daardoor kon hij niet rondhangen met de anderen. Kirby was een eenling.'

'Wat doen de anderen in de zomer?' vroeg Scott.

'Trainen in de sportschool. Rondhangen. Je weet wel.'

Ben stond op. 'Dat was het.' Hij liep met Derek langs Scott, die de jongen woedend nakeek.

'Doe ik te veel mijn best?' zei Scott toen Ben terugkwam. 'Praat ik als een oude vent?'

Ben wreef over zijn kin om zijn grijns te verbergen. 'Het overkomt ons allemaal.'

'Wat? Wat overkomt ons?' wilde Scott weten.

'We ontdekken dat we niet cool zijn.'

'Ik ben wél cool. Die knul is van de pot gerukt. Ik ben cool.'

'Vooruit dan maar. Laten we met haar beste vriendin gaan praten.'

KYLE

'Het eerste jaar dat ik op college zat ben ik niet veel thuis geweest. Ik vermeed Thanksgiving door te gaan kamperen met een groep ecovrienden. Dus was het Kerstmis voor ik David terugzag. Sinds september was hij minstens zeven kilo afgevallen, en die had hij heus niet te veel. Hij zag er moe en lusteloos uit, liet zijn hoofd hangen en antwoordde toonloos als ma in de buurt was.'

Toen we alleen op onze kamer waren, zei ik: 'Wat is hier in vredesnaam aan de hand?'
Hij begon te huilen. 'Het is erger dan ooit. Toen jij er was, kon ik er nog tegen. Maar pa is aldoor weg en nu houdt ze helemaal nooit meer op. Ze gaat aan één stuk door tekeer tegen me. Over alles, en niets. Ik kan niet denken. Ik kan niet leren. Ik haal klotecijfers en dat maakt haar razend. Ik moet na school meteen thuiskomen en naar mijn kamer gaan. Geen tv. Ze heeft de computer naar beneden gehaald, en als ik hem gebruik, komt ze naast me zitten om te kijken of ik wel voor school werk. Ze loopt mijn kamer in en uit om me te controleren, maar dan blijft ze en zegt dat ik lui ben, dat ik net zo ben als pa, dat ik liever opgeef dan door te zetten, dat ik dom ben. Je kent het wel, maar nu is het honderd keer zo erg.'
David rolde zich op als een foetus.

'Ik zal er iets aan doen,' zei ik. 'Ik weet niet wat. Maar ik maak het in orde.'

'Dat kun je niet,' zei hij. 'Dat kan niemand.'

Toch probeerde ik het. Pa vertrok de dag na kerst. We vroegen niet eens waarheen, of waarom hij medicijnen moest verkopen in de vakantie. Ik begon een gesprek met ma toen ze haar ochtendkoffie dronk.

'Ma, je moet David met rust laten.'

'Dat gaat jou niets aan.'

'Hij is mijn broer.'

Ze haalde haar vingers door haar haar en masseerde haar slapen. 'Als ik hem niet zelf had gebaard, zou ik het niet geloven.'

'Dat soort dingen bedoel ik. Zulke shit moet je niet meer zeggen, ma.'

Ze keek me woedend aan, maar ik keek net zo boos terug. Er flikkerde iets, haar onderlip werd een beetje zachter en ze keek weg, alsof het haar verveelde.

'Een semester college en je denkt dat je alles weet. Maar je weet geen barst.'

'Vertel het me dan. Vertel me waarom je hem dit aandoet. En kom niet met dat gelul dat David je leven heeft geruïneerd. Hij heeft je niets gedaan. Hij is geboren. Maar dat was zijn schuld niet. Dat was jullie schuld. Van jou en pa.'

Ma deinsde terug alsof ik haar had geslagen.

'Je begrijpt het niet. Je bent te jong en hebt alles nog voor de boeg. Je leest, je denkt na, je haalt goede cijfers en je weet wat je wilt. Dat zou David ook kunnen doen. Maar hij verprutst het. Hij gooit het allemaal gewoon weg. Net als zijn vader heeft gedaan. En ik. Ik kan er niet tegen om het te zien gebeuren.'

'Ma...'

'Wat is er met dit gezin gebeurd toen het leven moeilijk werd? Je vader bezweek. Hij gaf het gewoon op. En dat is hij blijven doen. Hij is een loser en ik kan niet bij hem weg omdat *ik niet weet hoe ik me zelf moet redden. Ik heb eindexamen gedaan met het beste vriendje, maar met een pretpakket en zesjes. Mijn haar en mijn nagels verzorgen was belangrijker dan huiswerk. Ik lette er meer op dat ik mijn benen zo over elkaar sloeg dat mijn billen er goed uitzagen, dan op wat de leraar zei. Mijn moeder heeft een goed huwelijk gesloten, en het enige dat ze mij heeft geleerd, is hoe je dat doet. Nou ja, zelfs dat is me niet gelukt! David is net als je vader. Hij vecht niet. Hij moet harder worden. De hele wereld loopt over hem heen als hij niet leert om hard te zijn. Hij is een huilebalk en dat moet hij afleren. Jij helpt hem niet, Kyle. Je denkt dat je hem tegen mij beschermt, en tegen de pestkoppen op school, maar je maakt hem slap.' 'Hou jij van David? Zeg eens eerlijk, ma. Hou je wel van David?' 'Ik doe wat ik moet doen,' zei ze.*

'Ik vroeg me af of ze gelijk had. Maakte ik David slap? En dacht ma echt dat het haar taak was om David hard te maken? Dat deed ze dan wel heel erg graag.'

CASS

Kyle sloeg weer met de schep.

Als het me lukte om uit deze kist te komen, zou ik Kyle met één goede mep van die schep alle tanden uit zijn bek slaan en dan de schep in de gapende holte rammen.

Mijn hoofd deed pijn en ik voelde me beroerd. Ik had zo'n dorst dat ik bijna nergens anders aan kon denken. Ik moest wel fouten maken. Het was zo moeilijk om me te concentreren.

'Ma kreeg wat ze wilde, maar pa had het zwaar. En toen gebeurde er iets wat niet de bedoeling was. Dat was David. Twee kinderen was meer dan pa aankon naast zijn studie. Hij stopte ermee.'

Ik had mijn lesje geleerd en zei niets. Ik denk dat Kyle in de pauzes besloot wat hij me zou vertellen, en hoeveel ik van hem mocht praten. Dat was belangrijk.

'Ma werd geen doktersvrouw. En pa werd artsenbezoeker. Ja, hij verkoopt pillen. Legale, uiteraard. Niet bepaald wat ma in gedachten had. En volgens haar was het allemaal Davids schuld. Hij bedierf haar feestje. Ik denk dat pa gewoon niet geschikt was om dokter te worden, maar ma weigert toe te geven dat ze hem lang geleden verkeerd heeft beoordeeld. En pa is nog steeds haar enige bron van inkomsten. Ze kan niet boos op hem zijn, dus wordt ze dubbel zo boos op David. En er komt nog iets bij. Ik lijk op ma. Maar David lijkt op pa.

Voor David was het leven van het begin af aan een grote berg shit. Hoe hard hij ook groef, hij vond nooit wat beters.'

Kyle bleef een tijdje stil. Hij dacht waarschijnlijk aan vroeger. Ik wurmde een beetje heen en weer. Het leek me dat ik nu beter niets kon zeggen. Ik besloot te wachten tot hij verderging. Ik kromde mijn rug, maar er schoot een kramp in. Ik werd alsmaar kouder en stijver. Kyle zei nog steeds niets. Ik moest het risico nemen.

'Hoe weet je dat allemaal? Dat ze zwanger werd van jou om je vader te strikken? En dat ze David er de schuld van gaf dat je vader geen dokter is?'

Weer dat geluid dat bedoeld was als lachen. 'Volgens mij is mijn moeder altijd gemeen geweest. Maar toen ze jong was, was ze schattig. Dus kon ze krijgen wat ze wilde. Toen het schattige eraf was, bleef alleen het gemene over. Snap je?'

Ik dacht aan mijn glimlach/hoofd een beetje schuin – wat zou ik overhebben als ik daarvoor te oud was? En daarna dacht ik aan pa die wilde dat ik een goed huwelijk sloot als volgende stap voor hem...

'Ik heb geen jurk,' zei ma.

Pa had ons net een uitnodiging laten zien. Hij was Zakenman van het Jaar. Een grote vis in een kleine vijver, maar hij was er trots op.

'Leatha, ik weet dat je een hekel hebt aan dit soort dingen. Laat maar. Ik neem Cass mee,' zei hij.

Ik keek en wist dat het een belangrijk moment was. Ma keek pa strak aan. Maar ze verloor en wendde als eerste haar hoofd af. Het was gebeurd. Pa had het nieuwe team gekozen. Maar ik kon het veranderen. Ik kon...

Pa gaf me zijn creditcard. 'Koop wat je wilt,' zei hij. 'Zorg ervoor dat die ouwe van je een goede indruk maakt.'

Ik kon mijn gedachten er niet bij houden. Ik verwerkte de informatie te traag.

Toen drong het opeens tot me door.

'Heeft ze het je zelf verteld?'

'En of ze het me heeft verteld. Keer op keer op keer. De eerste keer was ze geloof ik dronken, maar meestal niet. Ze vertelde het als ze nijdig was, en als ze medelijden had met zichzelf. En ze vertelde het ook aan David. Ze vertelde hem dat pa door hem geen dokter was, maar een soort handelsreiziger, en dat zij daarom niet werd gevraagd om lid te worden van de country club. Door David konden we niet in de "beste" wijk wonen, door hem was haar leven een sociale en financiële ramp.'

'O,' zei ik zacht. Wat had ik ook alweer in mijn briefje geschreven? *Hoe ver moet hij afdalen in het dierenrijk...*

'Ja, o.'

'Was ze ook gemeen tegen jou? Of alleen tegen David?'

Door die vraag werd hij weer stil. Ik wachtte af.

'Ze deed het heel geniepig. Soms speelde ze ons tegen elkaar uit, of...' Hij zweeg weer.

'Er is zoveel gebeurd. Het is bijna moeilijk om het te onthouden. Maar ik herinner me nog goed mijn eindfeest op de high school. Ik kwam in mijn smoking de trap af. Ma zat met David op de bank strips te lezen. Meestal noemde ze hem een slome duikelaar met zijn strips. Ze gooide ze weg om hem te pesten. Maar nu had ze een stuk of vijf strips voor hem gekocht, en die zaten ze samen te lezen. David glimlachte stralend. Hij gaf bijna licht.

Ma keek naar me op. "Nou, jij hebt je mooi gemaakt." Maar ik hoorde iets duisters in haar stem. Ik wist dat er iets ging komen dat ik niet wilde horen.

"Allemaal alleen om de een of andere slet te versieren? Dat gebeurt toch op het eindfeest? Dat weet ik heus wel."

Ze moest het met alle geweld bederven. Niemand mocht gelukkig zijn. Maar ze wilde zeker weten dat David aan haar kant stond als ze me de volle laag gaf.

Ik vroeg me af of ze slim genoeg was om te weten dat ze David af en toe een beetje liefde moest geven – de wortel voor zijn neus – om ervoor te zorgen dat hij naar haar terugkwam. Het deed hem meer pijn als ze hem te lijf ging vlak nadat ze aardig was geweest. Daarom zei ze weleens: "Hallo, David, heb je een fijne dag gehad? Vertel eens." Of ze knuffelde hem. Dan bleef hij terugkomen, in de hoop dat ze toch een beetje van hem hield.'

Hij ging zachter praten. Bijna alsof hij iets opbiechtte. 'Ik wist wel beter. Ze kon niet van hem houden. Dat zou nooit gebeuren. Meestal werd ze al boos als ze hem zag. Ze ging tekeer en ik kreeg ook mijn portie. "Waarom hou je hem niet bij me weg?" Dat schreeuwde ze meestal. "Wat een slappeling ben je toch dat je die worm niet onder zijn steen kunt houden." Soms... shit, soms wou ik dat hij nooit geboren was. Wat zegt dat over mij?'

Dat was het! Kyle had me zijn eigen tekortkoming laten zien en die kon ik aan hem terugverkopen. Hij vond dat hij niet genoeg van zijn broer had gehouden – hij had hem niet genoeg beschermd en daardoor was David nu dood.

Ik had het niet gedaan.

Mijn mond was zo droog dat ik bijna niet meer kon praten. Maar ik had wat ik nodig had. Nu moest ik er iets mee doen.

'Het betekent dat je een mens bent. Maar je bent van jongs af aan gemanipuleerd. Tenminste, dat denk ik.'

Stilte.

'Ga maar na, Kyle. Je hebt me levend begraven. Daarom denk ik dat je geen goed mens bent. Maar je vertelt me dat je moeder verschrikkelijk is en Davids leven tot een hel heeft gemaakt. En jij werd boos op hem omdat jij er ook last van had. Natuurlijk ben je daarom een klootzak.

Maar, en dit is echt belangrijk, als ik je zo hoor praten is je moeder iemand die alleen aan zichzelf denkt. Ze is nooit je lieve mama geweest. Ze heeft je belazerd. Wanneer ben je daar zelf achter gekomen?'

Regel Twee van Ted: stel een suggestieve vraag. Als Kyle antwoord gaf, kon ik de bal in het spel houden.

BEN

'Erica Lambert?'

Het meisje was mooi en zelfverzekerd. Donker haar en bruine ogen, zonder gespeelde arrogantie zoals de idioot die ze vóór haar hadden gehad.

'Bij ons in het lab...'

'Ja, dat is mijn moeder,' zei Erica.

Ben trok een wenkbrauw op. 'Ik ken haar. Ze is goed in haar werk.'

'Ze is goed in een heleboel dingen,' zei Erica.

'Cass McBride.'

Erica's ogen sprongen vol tranen, maar ze stroomden niet over haar wangen. Ze rechtte haar rug, vouwde haar handen in elkaar en beheerste zich. 'Wat wilt u weten?'

'Wie zou haar willen ontvoeren?'

'Als ik dat wist, had ik het u al verteld.'

Ben tikte met een potlood op het bureau.

'Vertel me dan over haar. Hoe is ze? Zeg maar wat er in je opkomt.'

'Ze is mijn beste vriendin.'

'Noem eens iets waar ze boos over zou zijn als ze wist dat je het had gezegd,' zei Ben.

Erica keek geschokt. 'Waarom wilt u dat?'

'Door complimenten kom ik niet te weten wie haar zou willen ontvoeren. Tenzij je iets over een stalker weet, maar dat zou je me al hebben verteld. Dus kom eens met een minder mooie eigenschap. Misschien schiet ik daar iets mee op.'

Toen ze antwoord gaf, praatte ze zacht en keek hem niet aan. 'Cass kan harde grappen over iemand maken. Maar ze doet het achter hun rug. Ze kwetst niemand recht in zijn gezicht.' Erica zweeg even en keek op. 'Ik weet dat het akelig klinkt. Maar zo gaat het op school. Cass doorziet de mensen. Ze neemt een kleine eigenaardigheid van iemand en vergroot die uit. Op feestjes kan ze schitterend mensen nadoen. We lachen ons rot. Maar soms is het gemeen en zou ik willen dat ze zich een beetje inhield.'

'Maakt ze daarmee vijanden?' vroeg Ben.

'Nooit jongens. Cass kijkt wel uit. Als ze een jongen nadoet waar iedereen het kan zien of horen, is het grappig. Hij hoeft zich er niet voor te schamen. Het is bijna een compliment. Bij meisjes kan ze een stuk valser zijn. Maar ik ken niemand die Cass echt haat.'

'Praten jullie ook over intieme dingen?'

Erica bloosde. 'Bedoelt u seks?'

Ben knikte.

'Ik weet dat ze nog maagd is.'

'Dus als iemand ons heeft verteld dat ze misschien zwanger is, wat zeg jij dan?'

'Dat u naar iemand hebt geluisterd die gewoon dom is of een geheime agenda heeft.'

'Oké, ander onderwerp. Kende je David Kirby?' vroeg Ben.

Erica had haar hoofd omlaag gehouden en naar haar handen gekeken, alsof ze niet graag iets onaardigs zei over haar vriendin. Nu leek het of haar ogen haar gezicht omhoogtrokken – langzaam, vragend, bijna bang.

Ben kreeg het gevoel dat hij een geheim op het spoor was. Hij leunde naar voren.

'David Kirby?' zei Erica. 'Wat heeft hij hiermee te maken? Hij is toch dood? Hij was al dood voordat Cass werd ontvoerd. Ze is toch ontvoerd? U vroeg wie het gedaan kon hebben.'

'Erica,' zei Ben, 'wat weet je over Cass en David Kirby?'

'Niets.' Ze keek Ben aan, en toen Scott. 'Eerlijk, het heeft niets te betekenen. Mijn moeder kreeg een telefoontje over hem. Ze vertelde het me, omdat ze dacht dat ik hem misschien kende. Ze wilde niet dat het een schok voor me zou zijn als het op school bekendgemaakt werd. Ik vertelde het aan Cass en ze...' Erica aarzelde en ze staarde naar haar schoot, met een diepe rimpel tussen haar ogen.

'Wat, Erica?' vroeg Ben zo vriendelijk mogelijk om haar aan te sporen.

Ze wreef met haar wijsvinger tussen haar ogen en keek op.

Ze weet niet dat ze het doet, dacht Ben. Maar ze heeft besloten de waarheid te vertellen.

'Ze verbaasde me. Ik dacht dat ze amper zou luisteren, meelevende geluiden zou maken of de akelige vragen zou stellen die ik nu eenmaal te horen krijg vanwege, u weet wel, het werk van mijn moeder.'

Ben knikte.

'Maar opeens...' Ze zweeg. Kreeg weer die rimpel. Keek omlaag, wreef en keek weer op. 'Ze keek bang. Ik had Cass nog nooit bang gezien. Toen rende ze naar de wc's en gaf over.'

'Kotste ze?' vroeg Scott.

Ben sloot zijn ogen en knarste met zijn tanden.

Maar Erica reageerde gewoon op Scott. Ze draaide zich naar hem toe. 'Ja, in de wasbak. Ze haalde de wc niet. Ik kon het haast niet geloven. Het was zo gênant. Maar het was vooral helemaal niets voor Cass.'

'Was er een meisje bij dat Firefly heet?' Scott had het gevoel dat hij contact had, en wilde dat vasthouden.

Erica knikte. 'O, die bedoelden jullie daarnet.' Ze zuchtte en rolde met haar ogen. 'Ze vroeg Cass of ze zwanger was of te veel gezopen had.'

In gedachten streepte Ben *zwanger* door op het bord.

'Zei Cass hoe het kwam dat ze over haar nek ging?' vroeg Scott.

Erica knikte weer. 'Ze zag het opeens voor zich en kreeg daardoor last van haar maag. Ze dacht dat ze bij hem in de klas zat voor een of twee vakken.'

'Dácht ze dat?'

'Ja. Ze wist het niet zeker. David leefde in een andere wereld dan Cass. Ze wist niet eens dat hij de broer was van Kyle Kirby.'

'Kende Cass Davids broer?' vroeg Ben.

'Ze wist wie hij was. We zijn allebei een beetje verliefd op hem geweest toen we pas op school zaten. Maar hij wist niet eens dat we bestonden.'

'Hoe gedroeg ze zich nadat ze had overgegeven?' vroeg Scott.

'Net als altijd. Het was niet meer dan een hobbel in de weg. Maar wel een rare hobbel.'

'Ze is niet naar de begrafenis geweest, hè?' vroeg Scott.

'Nee. Ik wel. Samen met mijn moeder. Zijn vader is artsenbezoeker. Ik wist het niet, maar hij brengt soms nieuwe pillen naar het lab zodat ze die hebben voor tests. Alleen daardoor wist ik dat Kyle en David broers waren. Doordat ma zijn vader kent.'

'Oké. En vriendjes van vroeger? Kan het dat een van hen wraak wil nemen?'

'Nee, niet haar vriendjes.' Ze wreef weer over de rimpel op haar voorhoofd. 'Ik zal een voorbeeld geven. Cass is binnenkort Homecoming Queen. Ze is een tijdje met Derek Richards uitgegaan omdat hij een senior is en de beste quarterback. Dat hielp haar om alle stemmen van het footballteam te krijgen, omdat Derek dan Homecoming King wordt.' Ze keek Ben aan, en daarna Scott. 'Is dat duidelijk?'

'Wie met de Queen uitgaat is de King. Hij wordt niet gekozen,' zei Scott.

'Precies. Maar Jen Underwood is smoorverliefd op Derek en dus ongelooflijk jaloers op Cass.'

'Denk je dat zij Cass misschien ontvoerd heeft, zodat ze geen Homecoming Queen kan worden?'

Erica trok een lelijk gezicht. 'Nee. Jullie kijken te veel tv. Jen Underwood weet best dat Cass zodra Homecoming voorbij is, niet meer met Derek uitgaat. Het zit er zelfs dik in dat Cass Derek tijdens het feest aan Jen koppelt. Jen krijgt Derek dankzij Cass, terwijl ze daarvóór misschien geen schijn van kans had. Zo blijft Cass met iedereen goede vrienden.'

Scott wreef over zijn voorhoofd. 'En Cass zelf?'

'Ze heeft wisselende afspraakjes. Niet meer dan twee keer met dezelfde jongen. Als ze erachter komt wie de meeste kans heeft om Prom King te worden, gaat ze met hem uit tot het feest voorbij is.'

'En dan doet ze hem over aan iemand die verliefd op hem is?'

'Dat zit erin, ja. Daarom begrijp ik dit niet. Het moet iemand zijn die haar niet kent. Iemand die geld wil van haar vader. Maar volgens mijn vader zit hij tot over zijn oren in de schulden.' Erica zweeg opeens. 'Dat had ik niet mogen zeggen.'

Ben leunde naar achteren in zijn stoel. 'Ja hoor, juist wel.'

KYLE

'Ze bleven maar bellen, allebei.'

'David, David, kalm nou. Ik versta je niet als je huilt. Oké, ja.
Wat heeft ze gedaan? Ja, dat is een rotstreek. Is pa niet thuis?
Nee, dat is hij nooit. Ik begrijp het, David. Je kunt je huiswerk
niet doen als zij de hele tijd in je kamer staat te schreeuwen dat
je een stommeling bent, en als je je huiswerk niet kunt doen
haal je beroerde cijfers. Dat is niet nieuw. Ik heb het gehoord.
Oké. Luister, stuur mij de opdracht voor je Engelse werkstuk.
Als je die mailt, zal ik... O, zit ze de hele tijd naast je? Hebben
we nog genoeg tijd om het met de post te sturen? Kan dat ook
niet? Verdomme, leest ze al je post?'

'Ik kon er niet meer tegen. Ik moest iets verzinnen om ze allebei de mond te snoeren.'

'Ma? Je schreeuwt en dan kan ik je slecht... Nee, ik was niet
van plan dit weekend naar huis te komen. Maar... Ma, als je
David elke avond een paar uur met rust laat, kan hij zijn huiswerk doen en... Nee, ik kies geen partij... Het is toch moeilijk
om te leren als er iemand tegen je praat... Ja, ik weet het,
ma. Ik ben niet thuis en ik begrijp niet wat David je aandoet,
maar... Ik weet het: ik heb het hier goed. Geen zorgen. Ik
ben alleen met mijn boeken, en jij en pa betalen al mijn reke-

ningen. Ik weet het, ik ben ondankbaar en ik zou naar huis moeten komen om de last een beetje van je schouders te nemen. Nee, ik spot niet. Ik doe alles fout. Ik zeg alles verkeerd volgens jou. Net als David. Ik wou dat je hem af en toe met rust liet, gewoon om... Ma?'

'Ik weet dat ma me op mijn donder gaf omdat ik te veel aandacht besteedde aan het sociale leven van school, maar dat was geklets. Ze haatte David omdat hij een watje was. Ik kon er net mee door omdat ik sociaal meer succes had. Ik wist wat David moest doen om haar blij te maken, en dat was niet hoge cijfers halen.

Ik vertelde David wat hij moest doen. Wat hij moest zeggen. Ik vertelde hem niet wie hij moest kiezen, maar wel welk type. Ik vertelde hem welk shirt hij moest dragen, welke schoenen, welke broek, alles. Ik sprak hem moed in, zei dat het in orde kwam. Hij kon gewoon de cruise control aanzetten. Ik herinnerde hem eraan dat ik hem had geleerd om in de boom voor ons huis te klimmen. Hoe hij hoger kon komen dan hij dacht.'

Ik schudde mijn hoofd. 'Maandag belde hij me. 's Avonds. Om een uur of tien, misschien nog iets later.'

'Kyle?'
'We moeten het kort maken, David. Ik heb een enorm tentamen morgen.' Ik hoorde hem ademen door de telefoon. Hij huilde niet. Hij klonk kalm. Goddank.
'Natuurlijk, uh, ik wilde je alleen bedanken voor al je hulp.'
'O, is het gelukt? Met het afspraakje?'
'Ik ben er klaar voor,' zei David.
'Nou, veel succes dan.'
'Zonder jou zou ik het niet gekund hebben. Je bent een geweldige broer.'
'Niet zo klef, broertje. Gewoon doen. Je niet bedenken. Oké?'

'*Natuurlijk, gewoon doen.*'
'*Ik moet aan het werk.*'
'*Ik hou van je, Kyle.*'
'*Doe niet zo maf.*' *Ik legde de hoorn neer.*

'Ik zei dat hij het gewoon moest doen. Zich niet moest bedenken.'

Deed Kyle er echt zo lang over om mijn vragen te beantwoorden of was ik elk gevoel voor tijd kwijt? Het leek of er twee tegenstrijdige dingen met me gebeurden. De lucht was zwaarder geworden en drukte me naar beneden tegen de bodem van de kist. Maar tegelijk leek mijn lichaam lichter, alsof het uitdroogde tot een dorre schil die zo verpulverd of weggeblazen kon worden door een zuchtje wind.

Maar de schil deed wel pijn. Ik had het gevoel dat mijn huid bij elke beweging barstte, als ik langs het linnen van mijn pyjama of de ruwe planken schuurde. Mijn lippen bloedden elke keer dat ik ze bewoog. En door de voortdurende spierkrampen bewoog ik meer dan ik wilde. Ik moest sneller werken. Ik begon de controle over mijn lichaam te verliezen. Ik kon me niet meer concentreren. Ik verloor het gevoel voor tijd. Het zou niet lang meer duren voor ik ook Kyle kwijtraakte.

'Erachter gekomen?' zei Kyle.

Waarover hadden we het ook alweer? Denk na. 'Ja. Hoe oud was je toen je door kreeg dat ze geen lieve mama was? Dat ze voor David een boze heks was, maar jou anders behandelde?' *Hou je mond. Je kletst te veel. Laat hem praten. Niet op hol slaan omdat je een barst hebt gevonden voor je breekijzer. Hij komt er wel achter.*

'Hou je bek!' brulde hij in de walkietalkie. Het vulde mijn hele donkere ruimte en door de schok wist ik weer precies waar ik was. De claustrofobie overweldigde me en ik snakte snel en onregelmatig naar adem, kneep mijn ogen dicht en spande mijn spieren om niet te schoppen, te slaan en te krijsen. Mijn hart bonkte en ik had het niet koud meer. Het zweet brak me uit in mijn gezicht en mijn nek. Ik voelde warmte langs mijn dijen stromen en...

Ik had in mijn broek geplast. Opeens kreeg ik een idee. Ik drukte op de knop en perste er een lachje uit.

'Waarom lach je, verdomme?' Hij was nog steeds boos.

'Omdat ik zo stom ben.'

Stilte. Dat had pa goed gezien. Als je iemand gelijk geeft, weet hij niet wat hij moet zeggen.

'Ik heb net in mijn broek geplast. En weet je wat het eerste was dat er in me opkwam?'

'O, wat wil ik dat graag weten.' Mooi zo, beter sarcastisch dan woedend.

'Ik dacht: mijn witte linnen pyjama – die vlek gaat er nooit meer uit.' Ik hield de knop ingedrukt en liet mijn snik overgaan in een lach. Het klonk akelig, maar Kyle trapte er blijkbaar in.

'Sufferd,' zei hij. Maar het klonk niet meer sarcastisch. Hij vond het grappig. 'Je hebt het al in je broek gedaan voordat ik je in de kist stopte. Die pyjama was toch niet meer te redden.'

We gingen er allebei niet verder op in. 'Toen je bewusteloos op de grond lag, verbaasde ik me over je pyjama,' zei Kyle. 'Niet omdat hij wit is. Maar het is een mannenpyjama.'

Kalm aan nu, bijna alsof het je spijt. Stoot hem niet af. Breng hem aan het twijfelen, maar zet hem niet onder druk. 'Wat had je dan verwacht?'

'Ben je een pot?'

O, wat wilde ik graag uit die kist om hem verrot te schoppen omdat hij zo'n zak was. Ik trommelde met mijn hielen tegen de bodem van de kist, zodat de pijn me kalmeerde.

'Dat is het, hè? Daarom heb je David zo hard onderuitgehaald,' zei hij.

'Nee. Waarom denken mensen dat altijd als... Nou ja, laat maar. Ik ben niet lesbisch. Maar ik loop ook niet met mezelf te koop om te kijken wat het hoogste bod is. Ik ben geen slet.'

'Wat ben je dan?'

Deze keer bleef ik stil. Die had ik niet zien aankomen.

'Ik... weet het niet.'

Ik wist het echt niet. Het kwam vast door de duizeligheid en vaagheid die steeds erger werden.

'Maar ik wil niet over mij praten. Ik wil meer weten over David. Je zou me vertellen wanneer je...'

'Ma doorkreeg. Toen je daarnet te veel praatte en het telkens opnieuw uitlegde, was je net ma. Als ze over iets begon, hield ze niet meer op. Het ging maar door. Als David of ik de kamer uitging, liep ze gewoon mee om verder te zeiken. Bij pa deed ze het ook, maar hij ontsnapte eraan.'

'Hoe?'

'Door zijn werk. Hij ging de hele tijd op reis. Ik weet zeker dat hij extra lang wegbleef, in plaats van snel naar huis te komen.'

'Liet hij jullie tweeën alleen met haar?'

'Ja.'

'Wist hij dat ze David op zijn kop zat en tegen jou schreeuwde?'

'Ja, dat wist hij.'

Ik bleef een tijdje stil. Dacht echt na. Om het te gaan begrijpen. Hoe kon die man zijn kinderen alleen laten met zo'n rotmens?

'Hij ging dus weg terwijl hij wist dat jullie dan de volle laag zouden krijgen?'

Stilte.

'En vooral David?'

'Wil je nou dat ik mijn vader ook ga haten?'

Sus. Kalmeer. 'Nee. Je zei dat je het jezelf kwalijk nam dat je David niet beter hebt beschermd.' *Hij heeft het niet gezegd, maar hij bedoelde het wel. Als de koper zijn kaarten niet open op tafel legt, moet de verkoper het voor hem doen.* 'Maar jij was een kind. De andere volwassene in jullie huis, je vader, had David moeten beschermen. Maar dat deed hij niet. Hij ging ervandoor. Hoe kon jij nou jezelf beschermen, laat staan je broer?'

Laat hem daar maar een tijdje over nadenken.

'Het moet een hel geweest zijn voor je,' zei ik. Het ontglipte me voordat ik de voor- en nadelen tegen elkaar had afgewogen.

'Het ontbijt.'

Ontbijt. Wat voor gedachtekronkel had dat opgeleverd?

'Snap ik niet,' zei ik.

'Dat was de eerste keer dat ik merkte dat ze ons verschillend behandelde. Het ontbijt.'

'O.'

'Hij moest soep eten,' zei Kyle.

'Ik zat in de derde en David op de kleuterschool. Ma bakte pannenkoeken. Ze zette een bord voor me neer, schonk sap in en schepte roerei op mijn bord en dat van haar.

Tegen David zei ze dat hij het zelf maar moest uitzoeken.

Hij zei niets, maar keek van mijn bord naar dat van haar, en toen naar ma.

Ze zei dat ze er genoeg van had om voor hem te koken, omdat hij altijd klaagde. Ze deed hem na.'

Kyle zette een hoge, akelige stem op. Een kijvend gekrijs. 'Ik LUS geen eieren. Deze pannenkoek is niet ROND. Ik wil een ANDERE.'

Moest dat een imitatie zijn van zijn moeder die zijn broer nadeed? Ik kon het niet meer volgen. Wat zou hij doen als ik om water vroeg? Zijn stem onderbrak mijn gedachten.

'Als David niet lustte wat zij hem gaf, moest hij zelf maar eten klaarmaken,' zei ze.

Hij klom op een stoel om cornflakes of zo te zoeken, maar hij kon niets vinden. Jammer dan, zei ma tegen hem.

Hij pakte een blik soep en het lukte hem om het open te trekken. Maar hij moest de soep koud eten, omdat hij niet wist hoe de magnetron werkte.

Een maand lang at hij alleen soep uit blik. 's Ochtends, 's middags en 's avonds. Ze martelde hem zodat hij nooit meer zou vergeten wat voor straf er stond op klagen.'

'Gaf ze je broertje geen eten? Dat zeg je toch?'

'Ze kocht wel de soep. Dus ze liet hem niet verhongeren.'

Dat liet ik een tijdje in de lucht hangen.

'Hij droeg leuke kleren,' zei ik toen.

'Ja, wij allebei. Ze winkelt graag. En ze wilde dat de mensen zagen dat we goede merken droegen. Maar dat was voor haarzelf. Het was niet voor David.'

'Hij leek niet, uh, op zijn gemak in zijn kleren,' zei ik.

'Ze krijste tegen hem.' Kyles stem ging weer omhoog. '"Ik koop het allerbeste voor je en toch zie je eruit als een loser. Doe het bovenste knoopje los. Ben je te stom om te weten hoe je een shirt moet dragen? Strijk het glad zodat het niet op een prop zit – het lijkt wel of je in je broek hebt gepoept. Waarom heb je die trouwens onder je oksels gebonden, verdomme? Jij verpest ook alles." Als ze mij dan zag, zei ze dat hij een voorbeeld aan mij moest nemen, of ze vroeg waar ik naar stond te kijken of waarom ik niet hielp.'

Zijn walkietalkie klikte uit. En weer aan. 'Ik kan niet meer praten.' Weer uit.

Stilte.

Heel lang.

Nee, nee, nee. Ik wilde nu niet alleen zijn. Ik had hem hier nodig. Ik kon hem niet bewerken als hij er niet was. Niet praatte. Ik had geen macht over hem als hij er niet was. Als Kyle praatte, dacht ik er niet aan waar ik was.

Ik wilde hem roepen, maar was bang dat ik zou gaan huilen. Het was bijna alsof ik hem miste. Hij was mijn troost, het enige waardoor ik niet alleen was, en toch was hij buiten mijn bereik, net als mijn vader. Jezus, ik was net zo'n stumper als Kyle.

Ik kreeg het koud. Niet op mijn huid, maar door en door, zodat het pijn deed. Rillingen die niet ophielden. Mijn spieren

beefden en mijn hele lichaam schudde. Daalde mijn lichaams-
temperatuur? Of voelde ik het meer als ik geen woorden had
om me op te richten?

Kyle was weg. Ik wist het zeker. Ik dacht niet dat hij voorgoed
weg zou blijven. Maar kon ik deze kou overleven? Hoe lang
lag ik hier al?

Ik trok mijn knieën zo ver op als kon in de kist, en strekte ze
weer. Ze schuurden langs elkaar. Al mijn gewrichten deden pijn
en kraakten als ik ze bewoog. Was dat het begin van uitdroging? Mijn mond was kurkdroog en mijn tong leek te groot.
Ook mijn hoofdpijn was vast een slecht teken. Hoe sterf je van
dorst? Zouden mijn cellen het water uit mijn bloed zuigen?

Mijn borst ging op en neer door een snik, maar ik huilde niet.
Ik had 'kriebelogen'. Dat woord gebruikte mama altijd. En
toen ik klein was, noemde ze me 'bibi'. Dat was voordat ik me
voor haar ging schamen.

'*Wat heb je nou gedaan, verdomme?' Pa was woest.*
Ma kwam binnen en haar ogen werden groot van verbazing,
maar ze knielde om me aan te kijken.
'*Bibi, je weet dat je niet aan de schaar mag komen.'*
'*Ik wil geen pony meer. Jij hebt ook geen pony.'*
'*Moet je zien wat een ramp,' schreeuwde pa. Hij tilde me op*
en hield me voor de spiegel in de gang. Op mijn voorhoofd
zaten korte stekels, de rest van mijn haar was lang en golvend.
Vreselijk.
'*Dit is jouw schuld, Leatha. Kun je niet eens op een kind van*
vijf letten?'
Hij zette me op de grond alsof ik iets heel smerigs was, en
veegde zijn handen aan elkaar af. 'Nou Cass, dat paaseieren
zoeken op de zaak kun je vergeten. Zo kun je je niet vertonen.'
Hij liep met grote stappen weg.
Ma sloeg haar armen om me heen. 'Het geeft niet, bibi. Maar
voor sommige dingen, zoals het laten groeien van je pony,
moet je groter zijn.'

Mijn ogen zwierven door het niets om me heen. Maar in het donker kun je je niet goed verbergen. In het licht kun je je voor jezelf verstoppen door je op anderen te concentreren, je aandacht van je eigen fouten afleiden naar je sterke punten, of naar de fouten van iemand anders. Daar ben ik heel goed in.

In het licht kan iemand in jou zijn geretoucheerde spiegelbeeld zien – dat is de beste verkooptruc die er is. Ga in het licht staan en laat de anderen zien wie ze willen zijn.

Maar in het donker ben je aan jezelf overgeleverd. Geen glanzende, spiegelende oppervlakken om te imponeren, alleen zwarte gaten om in te staren en te zien wie je echt bent.

David Kirby balanceerde al tijden op het randje van zelfmoord. Maar als mijn briefje hem niet het laatste zetje had gegeven, was het misschien niet gebeurd. Misschien zou hij met iemand hebben gepraat.

Maar mijn briefje lag op David Kirby te wachten, onder die bank waar iedereen het kon vinden en lezen.

Schelden doet geen pijn.

Gelul.

En hoeveel pijn kan iets doen wat niet gezegd is?

Kan het een soort antibioticum zijn dat je niet krijgt?

Is mama weggegaan door rotopmerkingen van pa of door dingen die ik niet zei?

Zoals: 'Ik begrijp niet waarom je weggaat, maar bel je me?'
Of, beter nog, zelf bellen en zeggen: 'Dag mama, ik mis je. Ik hou van je. Mag ik komen logeren?' Dat had ik allemaal nooit gezegd.

Hier liggen we nu: ik, de kist, het duister en de vragen.

BEN

Een lange man van begin dertig, die eruitzag alsof hij was samengesteld uit losse takken, boog zich over een beeldscherm. 'Heb je iets voor me?' vroeg Ben.

De man hield een lange vinger met knobbelige knokkels in de lucht, boog zich nog verder naar het scherm en haakte zijn vinger over zijn neusbrug. Toen ging hij met een plof achteruit zitten tegen de leuning van zijn stoel en tikte op een toets. 'Printen. Hebben ze al losgeld gevraagd?'

'Neu,' zei Ben.

'Heeft ook geen zin. Ted McBride zit diep in schulden. Maar het komt niet doordat hij boven zijn stand leeft. McBride is een handige zakenman. Hij heeft leningen op zijn huis, zijn bedrijf – eigenlijk alles behalve de hond.' De knobbelige vinger ging weer de lucht in. 'Maar, en dit is een groot maar, hij heeft het geld geïnvesteerd in een seniorenwijk. Dat is nu big business. Je weet wel, voor oude zakken. Jonge zakken zoeken investeringen en oude zakken kopen de huizen.' Hij keek Ben aan en haalde zijn schouders op. 'Hij gaat vast een fortuin verdienen, maar op dit moment heeft hij problemen met zijn cashflow.'

'Heeft hij een verzekering op zijn dochter?' vroeg Ben

'Stelt niets voor. Amper genoeg voor een begrafenis.'

'Krijgt hij geld als ze doodgaat?'

'Nada.'

'Dus...' zei Ben

'Het heeft niets met geld te maken.'

Ben keek Scott aan. 'De eerste achtenveertig uur zitten er bijna op en we zijn nog nergens. Weet je nog dat Oakley spinnenpoten voelde toen we het over David Kirby hadden?'

'Ja, maar we hebben met iedereen gepraat en ze kende hem niet eens.'

'Maar kende hij haar?'

Scott wreef over zijn stekeltjes. 'Wat hebben we te verliezen?'

KYLE

'Ik dacht dat we een kans hadden. David zou een meisje mee uit vragen. Iemand zoals ma, die populair deed. Ik gaf hem tips voor het eerste contact, een paar grappige zinnen waardoor hij een beetje geestig zou lijken, en niet zo zielig. Ik zei precies wat hij moest doen.

En weer heeft David niet genoeg aan de ellende die hij al heeft. Hij doet zijn uiterste best om het nog erger te maken. Hij kiest Cass McBride.'

Ik drukte mijn nagels weer in mijn duimen. Pijn was heerlijk, vergeleken bij schuldgevoel.

'Daar gaat David. Hij denkt dat het zijn laatste kans is. Zijn laatste kans op ma's goedkeuring. En wat gebeurt er? Cass sabelt hem neer. Ze noemt hem een sukkel, een loser, een homo. Heeft het over "afdalen in het dierenrijk". Ze wijst hem af met dezelfde woorden als mijn moeder.'

Ik veegde de tranen van mijn gezicht. 'Eén ding gaf me een iets beter gevoel. Hoe David het heeft gedaan. Door zich zo in het openbaar op te hangen. Voor ons huis, met dat briefje op zijn borst. Dat maakte iets duidelijk. David had eindelijk de moed verzameld om...' Ik keek de smerissen aan. 'Hij stak op een grandioze manier zijn middelvinger omhoog naar ma. Zodat iedereen het kon zien. Woedend en wanhopig.'

CASS

Cicaden? Mijn hoofd bonsde zo hard dat ik niet meer wist of het geluid binnen of buiten was. Stikdonker om me heen, maar met een heleboel ruis. Ik begreep er niets van.

'Hé, slaap je of ben je dood?'

Kyle.

Geen cicaden. Maar ruis uit de walkietalkie. Hij was er weer. Goddank, hij was terug. Hoe lang was hij weg geweest? Was het dag of nacht? Was het nu zondag? Had ik geslapen? Kon het al maandag zijn? Of waren er maar een paar minuten voorbijgegaan? Tijd was hier hopeloos. Ik zweefde weg en was er weer, zinnen stokten en ik wist niet of het seconden of minuten duurde, of...

Ik bewoog mijn duim naar de knop. Zelfs dat kostte moeite. Ik drukte. Deed mijn mond open om te praten. Maar hij was al open. Mijn tong was gezwollen en de punt stak een stukje tussen mijn tanden uit. Hij plakte aan mijn gehemelte. Ik probeerde te praten, maar mijn tong leek niet van mezelf, zwaar en onhandelbaar. Het enige dat me lukte was een moeizaam gekreun. Zelfs ademen leek een gruwelijke inspanning. Ik ging sterven. Dat dacht ik niet omdat ik in paniek was. Het was de waarheid.

'Voel je je rot daar beneden?'

Ik kreunde weer. Dat hoorde niet bij mijn strategie. Het was gewoon een reactie. Ik kon niet denken of plannen maken met deze hoofdpijn, tong en allesoverheersende dorst. Ik bracht mijn linkerhand naar mijn lippen om de korsten op mijn knokkels door te bijten en het bloed op te likken, maar er stroomde een weeë, zoete vloeistof uit. Etter? Konden wonden zo snel ontsteken? Waarom had ik zo weinig geleerd bij biologie? Ik zuchtte. Alsof ik er iets mee opschoot als ik wist wat me het eerst noodlottig zou worden: ontstekingen, uitdroging of de kou. Ik trok mijn tong los van mijn harde gehemelte en probeerde hem onder controle te krijgen. Ik drukte weer op de knop. 'Water. Alsjeblieft. Water.'

Een hele tijd niets van Kyle. En toen: 'Dat klinkt beroerd.'

Een hele tijd niets van mij.

'Oké, maar alleen omdat ik nog niet klaar ben met je.' Het ronde licht zo groot als een zilveren dollar verscheen boven me. Het deed pijn aan mijn ogen en ik wendde mijn hoofd af. Bewegen deed me pijn. Jezus, wat deed het pijn.

'Probeer je mond eronder te krijgen. Dan giet ik water door de slang. Ik heb een kwart fles en zal je de helft geven. Niet meer.'

Ik verschoof en deed mijn mond open. Wachtte. Er druppelde water omlaag. Op mijn neus. Ik wrong me naar boven, likte naar de gemorste druppels en hield mijn open mond onder het kleine stroompje, zodat het op mijn tong terechtkwam. Ik zoog het water meer op dan dat ik het dronk. Mijn tong nam het op als een omgekeerde spons, die kleiner werd door het water. Toen stroomde er water mijn mond in, en ten slotte werd ook mijn keel nat. Ik kon maar twee of drie keer slikken voordat het stroompje kleiner werd en stopte.

Het zou mijn lichaam niet redden van de uitdroging, maar ik kon weer praten. Dit gevecht had Kyle gewonnen. Ruim.

Als ik erg mijn best deed, zou ik misschien meer water kunnen krijgen, maar dat zou hem nog meer macht geven. Dat kon ik me niet veroorloven. Ik wist dat ik de afloop in gedachten moest houden. Geen kleine winstjes onderweg. Uit die kist. Ik moest uit die kist komen.

Daarna kon ik hem verrot schoppen.

Het licht flikkerde en verdween. Maar in het vage schijnsel had ik even een glimp van mezelf opgevangen. Had ik me zorgen gemaakt over piesvlekken? Mijn witte pyjama zat onder de aarde, en de knieën waren opengescheurd en bloederig. Waarschijnlijk zagen de ellebogen er net zo uit, want ik voelde de pijn van de schaafwonden. Mijn vingers en knokkels waren er slechter aan toe dan ze aanvoelden. En ze voelden aan alsof ze opengereten waren. Alleen mijn rechterduim was heel. Die zat veilig aan de knop van de walkietalkie getapet. Hij was wel stijf, maar niet bloederig. Ik wou hieruit komen met genoeg kracht om die gozer een mep te verkopen met de walkietalkie nog aan mijn hand.

Er was al eerder een idee in me opgekomen dat me dan net ontglipte. Wat was het ook alweer? Ik kon niet nadenken. Ik trommelde met mijn hielen tegen het hout. Pijn. Iets nats, glibberigs. Bloed?

Door de pijn kon ik me weer een beetje concentreren. Kyle. Als ik hier was omdat ik zijn broer had gekwetst en hij de grote beschermer/wreker was, waarom had ik dan nooit geweten dat hij een broer had? Een paar jaar geleden had ik contact gezocht met Kyle. Als ze zo goed met elkaar konden opschieten, zou ik ze samen hebben gezien, of zo.

Waarom was David een geheim?

Had Kyle zijn broer als een enge schimmel behandeld en voelde hij zich nu schuldig?

Maar het Moedermonster was er ook nog.

Moest hij David stiekem beschermen om het Moedermonster aan zijn kant te houden? Om te voorkomen dat ze hem in de steek liet, zoals zijn vader al had gedaan?

Maar als hij Kyle de beschermer was en het zo goed kon vinden met David, wilde ik antwoord op de vraag: *waarom ik?* Als David Kirby iemand was die zelfmoord pleegde omdat hij werd afgewezen, waarom had hij *mij* dan gevraagd? En waarom liet Kyle het gebeuren? Ik heb niet echt de reputatie dat ik lief ben voor zwerfdieren.

Op een feestje zei ik een keer tegen mijn vriendje van die avond dat ik iets wilde drinken, en hij antwoordde: 'Natuurlijk, Hoogheid.' Het werd stil om me heen en iedereen staarde. Maar ik aarzelde geen seconde. 'Koninklijke Hoogheid voor jou, boer, en buig als je het zegt.' Natuurlijk, ik hield mijn hoofd schuin, glimlachte en straalde om het te verzachten, maar...

Welke gevoelige ziel geeft zich nou bloot aan iemand zoals ik? Als David zo dom is om dat te doen, hoe kan ik dan weten dat hij rondloopt met een strop om zijn nek en alleen nog op zoek is naar een goede tak?

Ik zou misschien doodgaan, maar dan ging ik boos dood.

DIT.

WAS.

NIET.

MIJN.

SCHULD.

Het was tijd om een deal te sluiten met Kyle.

'Je hebt water gehad. Kun je nu praten?'

'Ja, ik kan praten.' Ik zei het zacht, maar vastberaden, om mijn positie te heroveren. 'De vraag is: kun jij luisteren?'

Stilte.

En toen: 'Wat krijgen we nou?'

'Ik kom er nog op terug. Eerst heb ik de grote vraag voor jou. Waarom ben ik hier? En kom nou niet met die shit over David en mijn briefje. Dat is een smoes. Geen reden. Waarom heeft David mij uit gevraagd? *Mij.* Ik wed dat David het niet zelf heeft bedacht.'

Ik schakelde terug naar spijtig en bedroefd. Ik wilde Kyle niet in de verdediging drukken. 'Heb je het lef om eerlijk te zijn en de waarheid te vertellen voordat je me vermoordt?'

De stilte duurde zo lang dat ik me afvroeg of hij was weggegaan. Had ik op de verkeerde knop gedrukt? En te hard?

'Nee, hij heeft het niet zelf bedacht. Ik heb hem op het idee gebracht.'

Ik kon het bijna niet horen. Het klonk alsof hij het voor het eerst aan zichzelf bekende.

Ik moest mijn ogen dichtdoen om me te concentreren. Als ik ze openhield, dansten er rare dingetjes voor me. Geen lichtjes, maar een soort gekleurde schaduwvlekken die flitsten en flikkerden.

Hij had de walkietalkie uitgedaan en ik voelde dat hij heen en weer liep over de grond boven me. Hij stond op het punt om het te gaan vertellen. Hij had alleen nog een zetje nodig.

Ik had het gevoel dat het me een jaar kostte om de walkietalkie naar mijn mond te brengen en op de knop te drukken. Alles duizelde en draaide, en ik trommelde weer met mijn hielen om niet het bewustzijn te verliezen. 'Wat bedoel je?'

Hij zette de walkietalkie aan, maar wachtte lang voor hij antwoordde. Of gebeurde er iets raars met de tijd?

'Dit jaar begon ma voor het eerst tegen David over homo-zijn. "Waarom ga je niet uit? Je hebt nog nooit een meisje gehad. Je bent zelfs nog nooit met een meisje uit geweest. Volgens mij ben je een flikker. Ja, vast. Ik zit met een mietje opgescheept. Mijn hele leven is verwoest door een kleine viespeuk."

David belde me telkens op om te vragen wat hij moest doen. Ik geef toe dat ik genoeg kreeg van die telefoontjes. Kon ik geen eigen leven leiden zonder dat David me de hele tijd terugsleurde naar die ellende? Ik zei tegen hem dat hij haar moest laten uitrazen, en haar gewoon uit de weg moest gaan. Zorg ervoor dat je geen wandelende schietschijf bent, zei ik.

Maar hij zei dat ze hem door het hele huis achternaliep, als een bezetene tegen hem krijste, vitte en schold. Ze was boos omdat hij slechte cijfers haalde. Ze ging tekeer omdat hij volgens haar een homo was, niet uitging en haar leven verwoestte. Zo ging het maar door en door.

En toen kwam jij in beeld,' zei Kyle.

Er was iets mis met me. Heel erg mis. Mijn benen schokten en Kyles stem vervaagde telkens, samen met de lichtjes voor mijn ogen die dimden en weer opgloeiden. Ondertussen ging het bonzen in mijn hoofd op de achtergrond door. Mijn ademhaling was snel en oppervlakkig, hoe ik ook mijn best deed om aan zen te doen. In doktersseries op de tv is dat altijd een slecht teken.

'Hé, wat is er met je?'

'Sorry.' Ik klonk als een zieke kikker. Ik probeerde met mijn tong langs mijn lippen te gaan. Het leek wel een nagelvijl over ruwe steen. 'Hoe kwam ik in beeld?' vroeg ik.

'Als David een afspraakje zou maken – niet met zomaar iemand, maar met een meisje dat ma oké vond – zou ze zich wat meer gedeisd houden. Hoe kon ze zo tekeergaan als hij haar een leuk meisje onder haar neus duwde?'

Ik hoorde hem blazen in de walkietalkie. Het deed pijn aan mijn oren en dreunde in mijn hoofd. 'Ik vertelde hem wat voor type hij moest uitzoeken. Ze moest op ma lijken. Ze moest… Het moest iemand zijn die zo op haar leek dat ze zou vinden dat David eindelijk zijn best deed. Als hij een kloon van haar uitkoos, moest ze het wel goed vinden. Jezus, hoe kon ik zo stom zijn.'

Het duurde even voor ik het begreep. Omdat mijn synapsen afstierven of omdat niemand zijn eigen akelige kant wil zien?

'Daarom heeft hij mij uitgekozen,' fluisterde ik. Mijn ogen brandden, maar ik had geen tranen meer.

'Ik ben haar. Ik ben jullie moeder.'

BEN

Bens eerste indruk van de vrouw aan de deur was dat ze ooit mooi was geweest. Voordat teleurstelling haar gezicht verhardde met lijnen en hoeken.

Ze stapte achteruit, nodigde hen met een handgebaar uit om binnen te komen, en ging hun voor naar een grote kamer. Ze liet het aan Scott over om de deur dicht te doen. Ze nam zelf midden op de bank plaats en vroeg de mannen niet om te gaan zitten.

Ben begreep dat het een machtsspelletje was. Hij ging in een leren leunstoel zitten en wees Scott een andere aan. Mevrouw Kirby sloeg haar benen over elkaar.

'Davids zaak is afgesloten. Er is vastgesteld dat het zelfmoord was.'

'Dat weet ik, mevrouw Kirby. Rechercheur Michaels en ik voelen met u mee en doen met grote aarzeling een beroep op uw tijd. Maar er is een meisje ontvoerd en we hebben inlichtingen van u nodig, en we zouden uw zoon Kyle willen spreken.'

'Kyle.' Ze maakte een wegwuifgebaar. 'Wie weet waar hij is? Hij loopt in en uit. Maar meestal is hij weg. Ik kan het niet bijhouden. We rouwen niet op dezelfde manier. Hij doet alles alleen.'

Ben staarde omlaag naar zijn aantekenboekje. Hoe had de agent haar ook alweer genoemd? Een monster?

'Mevrouw Kirby, kende David Cass McBride?'

Ze lachte. Of blafte. Ben wist niet zeker wat het was.

'Mijn god. Als u David had gekend... Nee, als u hem één keer goed had aangekeken, zou u... nou ja, zou u weten hoe lachwekkend...'

Ze streek een niet-bestaande plooi uit haar broek. 'Ik weet zeker dat David wist wie Cass McBride is. Dat weet ík zelfs. Ze is rijk en mooi. In de plaatselijke krant staan vaak foto's van haar. Maar of zij David kende? Ze zou hem geen blik waardig keuren. Geen enkel meisje zoals zij zou dat doen.'

Bens ruggengraat verstijfde en Scotts mond zakte een stukje open.

'David was... nou ja, sommigen zouden zeggen: niet zo aantrekkelijk,' ging ze verder. Ze keerde zich naar de mannen en streek met de vingers van haar rechterhand door haar haren, masseerde haar slapen en wreef toen in haar nek. 'De arme jongen.'

Toen ze zag hoe stijf Ben erbij zat, haalde ze haar hand weg uit haar nek en keek hem rechtstreeks aan. 'U bent niet gewend aan eerlijkheid, hè? Dat is niemand. Iedereen denkt dat ik harteloos ben. Maar ik ben gewoon eerlijk. David was een schuchtere jongen. Niet hard genoeg voor deze wereld. Hij stopte met alles waarmee hij begon. Het verbaast me niet dat hij ook is gestopt met zijn leven. Maar ik ben wel verbaasd over de gewelddadige manier waarop hij het heeft gedaan.'

Ben dacht dat de pezen in zijn nek zouden springen.

'Kyle is ergens trauma's aan het oplopen, mijn man is gewoon weg, en ik bewaak het fort in mijn eentje. Zoals altijd.'

Ben wou dat hij tegen Scott kon zeggen dat hij zijn mond dicht moest doen. Maar hij was zelf ook geschokt door wat deze vrouw allemaal zei. Haar zoon was nog geen week dood en... Nou ja, het maakte eigenlijk niet uit hoe lang de jongen al dood was.

'Kent Kyle Cass?'

'Dat zou best kunnen,' zei ze. 'Maar hij heeft haar naam nooit genoemd.'

'Vindt u het goed dat we even in Kyles kast kijken? Naar zijn schoenen?'

Het zelfmedelijden van mevrouw Kirby maakte een scherpe bocht. 'Meent u dat? Waarvoor in vredesnaam?'

KYLE

'Ik heb Cass alles over haar verteld. Over mijn moeder.'
De jonge smeris had heen en weer gelopen, maar ging nu zitten.
De grote smeris daagde me nog steeds uit door te zwijgen.
'De eerste keer dat ik Cass zag, had ik een hekel aan haar omdat ik dacht dat ze alles had. Maar toen ik op school hoorde dat haar vader haar moeder het huis uit had gezet en haar geen cent had meegegeven...'
Mijn duim bloedde weer. Ik trok mijn mouw over mijn hand.
'Nou ja, toen ik de vader van Cass had ontmoet en wist hoe hij haar moeder had behandeld, vond ik dat ze een kreng was omdat ze bij hem bleef. Ze moest net zo zijn als hij, of ze verkocht haar ziel om haar plaatsje aan de trog niet kwijt te raken.'
Ik keek op naar de grote smeris. 'Hebben jullie haar vader gesproken?' De smeris reageerde niet, maar ik praatte toch verder. 'Ik heb hem één keer ontmoet. Ma heeft haar auto bij hem gekocht. Shit. Het is haast niet te geloven hoe mijn moeder en Cass' vader op elkaar lijken. Bij haar vader is het verkopen en bij mijn moeder pesten, maar het werkt hetzelfde. Ze laten de beloning net buiten je bereik bungelen. Als de koop te makkelijk gaat, kun je weglopen...
Toen ik wegliep bij Cass, zei ik tegen mezelf dat ik klaar was met haar. Ze moest weten dat ze daar was om wat ze David had aangedaan. Begrijpen wat voor kreng ze was, en lijden in die kist. Gek worden van angst. Maar ten slotte legde ik mijn

ziel voor haar bloot. Ik ging weg omdat ik wist dat ze greep op me kreeg. Maar nu is het me duidelijk geworden. Haar vader is een andere versie van mijn moeder. Ze zijn allebei slangen, maar ma is een gifslang en hij wurgt je.'

Ik wreef weer over mijn gezicht. *Hmmm, zou haar moeder net zo'n deurmat zijn als mijn vader?*

'Het gekste van alles is... ik haat Cass nog steeds, en zij had alle reden om mij te haten, maar zij heeft me alle antwoorden gegeven. Ik weet dat het idioot klinkt, maar... ik vond het wel fijn om met haar te praten.'

Ik wilde gillen. Uit die kist klimmen om hem op zijn stomme, stomme smoel te slaan. Maar ik kon alleen schor mompelen. Zo moe was ik. De discolichtjes die op mijn oogleden dansten vervaagden en ik was slaperig. Mijn hoofd was net zo traag als mijn tong, maar één ding was duidelijk: ik was hier om de verkeerde redenen.

Kyle was niet eens boos op me.

'Nu je hier achter bent, zou je toch... Nou ja, ik weet niet hoe jij je voelt,' zei ik.

'Wat moet dat betekenen?'

'Het betekent dat je het helemaal verkeerd hebt gedaan. Je wilt *mij* niet in deze kist hebben. Ik ben het probleem niet. Als je je beter wilt voelen, het gevoel wilt hebben dat je je broer gewroken hebt, martel dan degene die je broer heeft gemarteld – ga je moeder halen en stop haar in deze kist. Dat mens heeft elke dag van zijn leven verpest. Ze gaf hem niet eens te eten. Haar eigen kind. Heb je dat briefje wel begrepen? Als David mij de schuld wilde geven, zou hij mijn briefje op zijn lichaam hebben gespeld. Ja toch?'

Stilte.

Ik moest blijven praten. Het kabaal in mijn hoofd was overweldigend. Een cirkelzaag die mijn schedel opvrat. Ik moest dit nu zeggen, want ik wist dat ik geen tijd meer had.

'Davids briefje was voor je moeder bedoeld. Haar woorden

zijn tanden. Hij wil dat zij van zijn lijk eet. Hij heeft zich in jullie voortuin opgehangen. Hij wilde dat iedereen het wist. Dat de mensen wisten wat ze hem heeft aangedaan.'

Nog steeds niets.

'Als ik doodga en zij blijft leven – voel jij je dan beter? Dan is ze toch helemaal de grote winnaar?'

Nog niets.

Toen ging de walkietalkie met een klik uit. Ik hoorde een lange schreeuw van verdriet. Hard genoeg om me door de aarde te bereiken.

En toen was hij weg.

Ik wist dat hij weg was. Ik kon het voelen.

Wat was er fout gegaan? Ik kon niet denken, mijn hoofd deed zo'n pijn en door dat duizelen en vervagen kon ik me niet concentreren. Wat had ik verkeerd gedaan? Ik had het allemaal gepland... Ik wist wat ik...

O, shit.

Ik had een deel goed gedaan. Ik had hem ervan overtuigd dat hij het echte probleem toedekte door mij te begraven. Als hij dat deed en het niet bekend liet worden, zou zijn moeder er niet voor gestraft worden dat ze David met haar woorden had gekwetst tot hij niet meer kon.

Maar ik had Kyle ook duidelijk moeten maken dat zijn moeder er altijd voor zorgde dat iemand anders de prijs betaalde voor haar tekortkomingen, haar fouten. Kyle moest mij opgraven, zodat ik niet zou sterven voor wat zijn moeder David had aangedaan.

Ik moest hem ervan overtuigen dat zijn moeder David had vermoord. En dat ze hem niet kon opzadelen met de moord op mij.

Hij moest me *eerst* hieruit halen.

Maar nu was hij weg.

Ik moest niet... Ik dacht niet dat hij zichzelf iets zou aandoen... Ik...

Ik heb mijn eigen doodvonnis getekend.

Mijn ogen zijn dicht. Ik ben gewend aan de duisternis. Ik hoor mijn hart kloppen in mijn oren en het hapert. Ik ben te zwak om met mijn hielen te trommelen, mijn ademhaling reutelt en mijn tong is weer dik. Wat pijn zou moeten doen – mijn geraspte vingers en tenen en hielen – doet geen pijn. De plekken waar ik mijn lippen heb stukgebeten en waar ze gebarsten zijn en bloeden – dat doet allemaal geen pijn. Maar ik heb het koud en ik ril en schok, zodat mijn gewrichten knarsen. En in mijn hoofd bonst, ronkt en flitst het.

BEN

Ben zat aan zijn bureau. Met zijn handen achter zijn hoofd, zijn voeten op het bureau, concentreerde hij zich op het whiteboard. Hij staarde naar de namen en feiten, en probeerde een verband te zien. Hij hoopte op een ingeving.

'De eerste achtenveertig uur zijn voorbij. Ik verlies niet graag en onze kans om nog te winnen is...' Hij wilde het niet zeggen.

'We blijven zoeken,' zei Roger. Hij schreef met grote groene letters NIEUWE DRUG op het bord. 'Volgens het lab zaten er sporen van een of ander middel op de lakens, maar het is een mengsel dat ze niet kennen. Ze praten nu met mensen om erachter te komen wat er voor nieuwe middelen zijn. Als het iets nieuws is, kunnen we misschien nagaan wie eraan kan komen.'

'Ik ben moe.' Ben kneedde zijn nek en zette zijn voeten op de grond. 'Ik weet niet eens meer wanneer ik voor het laatst goed geslapen heb. Sommige van mijn hersencellen doen niet meer mee. Ik weet dat ik iets over het hoofd zie.' Hij staarde weer naar het bord.

Scott trommelde op het bureau. 'Ben?'

'Hou op met die herrie, Scott. Ik haat eentonige geluiden. Je weet dat ik er een hekel aan heb.'

Roger grijnsde, omdat Ben zelf ook vaak met zijn vingers trommelde.

'Ben.' Scott trommelde nog steeds en scheen Bens klacht niet gehoord te hebben.

'Wat is er, Scott?'

'Wie kan er aan nieuwe geneesmiddelen komen?'

'Ik weet het niet. Artsen, apothekers? Roger, weet jij... Ja, dat is het!'

Scott stond op en liep naar het bord. 'Artsenbezoekers krijgen de nieuwe geneesmiddelen mee en proberen ze te verkopen aan artsen. Ja toch? Dat is hun vak.'

'En de vader van David Kirby is artsenbezoeker,' zei Roger.

'Maar David was al dood toen Cass werd ontvoerd.'

Scott trok een rode lijn van Kyles naam naar die van Cass.

'De broer,' zei Ben. 'Maar we hebben zijn schoenen gecontroleerd. De goede maat, maar niet het goede profiel en geen glassneden.'

'We hebben niet de schoenen gezien die hij aanhad,' zei Scott.

'En hij is meer weg geweest dan thuis,' voegde Ben eraan toe.

'Kom mee. We gaan naar het huis van de familie Kirby. Kijken wat we kunnen vinden.'

KYLE

'Ik stapte in mijn wagen en reed plankgas naar huis. Ik graaide een stuk touw uit de achterbak. Dat ligt er altijd wel. Ik wilde haar niet begraven. Ik wilde haar aan diezelfde boom ophangen zodat de buren het allemaal zouden zien. Pa was er natuurlijk niet. Ik smeet de voordeur achter me dicht, liep de keuken in en pakte een van de grote messen uit het blok op het aanrecht. Ma krijste al. Ze riep of ik het was. En schreeuwde dat ze hoofdpijn had. Kon ik daar niet een beetje rekening mee houden?'

Ik zweeg en drukte mijn nagels weer in mijn duimen. Deze keer kon het me niet schelen of ze me zagen bloeden. 'Weet je, een echte moordenaar zou zich meteen omgekeerd hebben en weggerend zijn zodra hij haar stem hoorde. Hij zou begrijpen dat hij iemand die zo klonk, alleen kon doden met een zilveren kogel en een staak door het hart.'

Ik keek de grote smeris aan. 'Ik weet hoe dat klinkt. Het zal wel erfelijk zijn.'

'Ga door, Kyle. Je bent er bijna.'

Ik stormde de trap op en sleurde haar uit bed.
'Wat doe je nou, verdomme?'
Ik hield de punt van het mes onder haar kin. 'Hou je bek. Anders vermoord ik je of snij je tong eruit.'
Ze deed haar mond met een klap dicht. Ik had niet gedacht

dat ik dat nog zou meemaken. Ma die leefde en niet praatte. David en ik waren ervan overtuigd dat ze zelfs in haar slaap doorpraatte. Ik drukte een beetje harder met de punt van het mes, zodat hij door de huid ging en er een druppel bloed verscheen.

'O, dus je kunt wel bloeden? Ik wist niet zeker of je een mens was. Weet je wat ik net heb begrepen, ma? Jij hebt David vermoord.' Ze deed haar mond open en ik drukte nog wat harder met mijn mes. De druppel bloed werd een straaltje. Ze slaakte een kreet van pijn. De tranen liepen over haar wangen.

'Ja, jij hebt hem de dood in gepraat. Je tierde, gilde en treiterde tot hij de hoop opgaf. En weet je? Pa liet het gebeuren. En wat nog erger is – ik liet het gebeuren. Jij hebt hem vermoord en wij hebben toegekeken. Je hebt dag in dag uit stukken uit hem gereten, tot er niets meer over was.'

Ze zakte in elkaar. Dus wrong ik haar arm op haar rug en duwde haar omhoog, met het mes op haar keel. 'En waarom? Niet omdat je hem haatte. Maar omdat je een afschuwelijk, gemeen wijf bent, dat helemaal niets kan. Je kunt niet eens aardig zijn.'

Ik zweeg even terwijl me iets te binnen schoot. 'Je maakt andere mensen kapot om je zelf heel te kunnen voelen.'

Ik duwde haar met mijn schouder vooruit. 'Nu gaan we naar buiten. Iedereen mag zien wat voor stuk ellende jij bent.'

Ik probeerde haar de trap af te dwingen. Ze gilde en spartelde. Ze schopte me, rukte zich los en viel van de trap.

'Toen kwamen jullie binnen.'

Ik liet mijn hoofd hangen, met mijn kin op mijn borst. Uitgeput. 'Ik weet niet wat ik nog meer moet zeggen. Maar ik wil een proces. Ik wil dat iedereen het hoort. Door jullie heb ik mijn moeder niet kunnen ophangen zodat alle mensen het zagen. Maar dat wil ik nog steeds.

Ik heb niets meer te zeggen. Tot aan het proces.'

Komt hij nog terug?
Hij moet terugkomen.
Mijn enige uitweg is via hem.
Hij moet me hieruit laten.
Kyle is de enige die...
Kyle moet...
Kyle...
Ik kan hier niet uit komen als Kyle niet...
Ik kan het niet als Kyle niet...

BEN

Ben reed de oprit van de familie Kirby op. Zijn koplampen verlichtten de voorkant van het huis. Hij wees naar de voordeur. Die stond open. Niet op een kier, maar wijd open. Het was bijna middernacht; alleen boven brandde licht, en de deur was wijd open. Dat was niet goed.

Ben pakte de radio en vroeg om versterking. Daarna zette hij de motor uit en keek Scott aan.

Scott knikte en haalde zijn wapen te voorschijn. Een .357. De jonkies hadden altijd een kanon.

Ben stuurde Scott met een gebaar naar de achterkant van het huis en benaderde de voordeur van opzij.

Tussen een raam en de deur bleef hij staan en boog voorzichtig naar voren om in de voorkamer te kijken. Niets. Waar bleef de versterking?

Uit het huis klonk een gil. Ben nam zijn pistool stevig in zijn hand en stak de loop rond de deurpost om te kijken of er op geschoten werd.

Niets.

'Nee!' Een bonk. Nog meer gegil. Nog meer gebonk. Alsof er iemand van de trap viel.

Ben stapte naar binnen, met geheven pistool, klaar om te schieten. Hij hoorde de achterdeur opengaan. Scott.

'Als je nog één keer gilt, snijd ik je keel door.' Een mannenstem. Jong.

Ben liep schuin door de gang. Die maakte een bocht naar de trap.

Een jonge man stond over mevrouw Kirby gebogen, die op een hoopje onder aan de trap lag. Haar lichaam was verstijfd en haar ogen waren wild van angst. De jonge man hield een groot keukenmes tegen haar keel. Op de vloer naast haar lag een nylon touw.

'Politie. Laat je wapen vallen.'

De jonge man keek op. Zijn ogen waren glazig van vermoeidheid, blinde woede en walging.

'Hou me niet tegen. Straks mag je me doodschieten als je wilt. Maar hou me niet tegen. Ik moet dit doen. Het moet.'

'Laat je wapen vallen, jongen,' zei Ben.

'Ik wil niet alleen haar keel doorsnijden. Dwing me daar niet toe. Het is niet genoeg.'

'Kalm aan,' zei Ben. Hij wilde dat de jongen hem aankeek, zodat hij zijn hoofd een beetje draaide. Scott moest nu langs achter komen en door de keuken sluipen.

'Wat is hier aan de hand?' zei Ben.

De jongen keek hem aan. 'Ga weg. Schiet me dood of ga het huis uit.'

Scott kwam binnen. Ben bewoog opzij. De jongen bewoog mee. Met zijn moeders haar in zijn ene hand, haar hoofd naar achteren gebogen, en met het mes op haar halsslagader, hield hij zijn blik op Bens pistool gericht.

'Dat wil ik geen van beide.' Ben bewoog nog verder opzij, zodat de jongen meedraaide, met zijn rug naar Scott. 'Ik heb mevrouw Kirby ontmoet. Ik denk dat jij Kyle bent. Je lijkt heel erg op je moeder. Maar dat zul je nu wel niet willen horen. Ze is het niet waard dat je jezelf in moeilijkheden brengt. Laat je wapen vallen. Dan zoeken we een oplossing.' Hij bewoog weer.

Sneller dan een aanvallende slang schoot Scotts voet naar Kyles elleboog. Hij schopte omhoog en naar buiten, zodat het mes tegen de muur vloog. Ben hield zijn pistool tegen Kyles slaap.

'Laat het haar van je moeder los.'

Kyle liet zijn moeder gaan. Ze krabbelde overeind en spuugde bijna. 'Wat denk jij verdomme dat je…' Maar voordat ze haar zoon kon schoppen, greep Scott mevrouw Kirby beet. Roger en Tyrell kwamen binnenrennen.

Ben deed Kyle handboeien aan en trok hem in een zittende positie. 'Breng haar ergens naartoe. Neem een verklaring af. Ga met haar naar het ziekenhuis als het nodig is. Maar houd haar hier weg,' zei Ben.

Hij keerde zich weer naar Kyle, stelde hem op de hoogte van zijn rechten, en hurkte toen naast hem om hem aan te kijken. 'Je zit dik in de problemen.'

'Waarom zijn jullie hierheen gekomen?' vroeg Kyle. 'Jullie waren er al voor ze gilde. De buren kunnen jullie niet gewaarschuwd hebben.'

'Ik denk dat je iets te maken hebt met de verdwijning van Cass McBride.'

De jongen liet zijn hoofd hangen. Ben was verbaasd. Hij zag niets van woede of opstandigheid. Kyle probeerde niet eens te doen alsof hij onschuldig was.

'Ja, ik heb haar ontvoerd,' zei Kyle.

'Wat heb je met haar gedaan?' vroeg Ben.

'Ik heb haar begraven. Toen ik wegging leefde ze nog. Maar nu niet meer, denk ik.'

Hoe lang was dat?
Heb ik geslapen?
Mijn tong is dikker dan daarnet.
Ik krijg geen adem.
Maar het bonzen
in mijn hoofd…
is niet meer
zo hard.
En
de flitsende lichtjes

worden

vager.

BEN

In vijftien minuten reden ze met piepende banden, ver boven de maximumsnelheid, naar de kas. Maar de aanwijzingen van de jongen waren nauwkeurig. Een ziekenauto en een busje met scheppen en mensen om ze te gebruiken waren al onderweg.

Ben was de auto uit voordat die helemaal stilstond. Het was donker, maar hij had de koplampen op de deur gericht. Hij vond de schakelaar en er gingen een heleboel rijen groeilampen aan.

'Daar!' riep Scott, terwijl hij naar een rechthoek omgewoelde aarde wees.

Zo groot als een graf.

Scott keek snel rond en vond een klein handschepje. Hij greep het en begon in de losse aarde te graven. Ben zag een schep tegen de achtermuur staan, maar hoorde het busje al komen. Hij wuifde de agenten met scheppen de kas in. Ze liepen naar Scott toe en begonnen snel en efficiënt te graven.

Ben ontdekte een soort stofzuigerslang die uit de omgewoelde aarde stak. Hij knielde neer en pakte hem op. Hij rukte de filterdop eraf. 'Cass, kun je me horen?'

'Cass?'

Scott ging opzij voor de grote scheppen en keek Ben vragend aan. Toen draaide hij zich om en ging naar het andere eind van het graf. Daar stak ook een slang uit de grond. Die was met tape aan een grote trechter bevestigd. En in de trechtermond was een ventilator van een computer vastgemaakt die met een lang verlengsnoer op een stopcontact was aangesloten.

'Verdomme! Slim gedaan. Eenvoudig, makkelijk te maken, stil, en het werkt ook nog.' Scott wuifde naar Ben en wees op de ventilator. 'Erg veel lucht zal het niet verplaatsen, de hoeveelheid kooldioxide zal wel toenemen, maar ze heeft een kans, hè?'

'Ik hoor niets,' zei Ben. 'Cass, Cass, word wakker. Toe nou, Cass. Ik ben Ben Gray. Ik ben hier om je te helpen. Er zijn een heleboel mensen om je te helpen. We gaan je eruit halen. Maar ik wil dat je iets zegt. Praat tegen me. Toe. Probeer iets te zeggen, Cass. Jij bent toch het meisje dat alles voor elkaar krijgt. Zeg iets tegen me, Cass.'

Een van de verplegers leunde voorover naar Ben. Hij praatte snel en wees naar een slangetje dat hij in zijn hand had, en toen naar de stofzuigerslang.

'Ik snap het,' zei Ben.

Daarna praatte hij weer in de stofzuigerslang. 'Cass, we gaan een zuurstofslang door deze slang duwen. Dus ik kan even niet tegen je praten. Maar over een paar seconden hebben we dit slangetje bij jou en kunnen we er zuurstof door pompen. Dat zal je goed doen. Haal diep adem als de zuurstof binnenstroomt. En praat dan tegen me, Cass. Alsjeblieft. Zeg iets.'

Ben gaf de slang aan de wachtende verpleger.

'Het slangetje zit erin.' Hij gaf de grote slang terug aan Ben en zwaaide met zijn vinger door de lucht. 'Oké, daar komt de zuurstof. Hier wordt niet gerookt.'

'Cass?'

Ben wreef over zijn hoofd. 'Kunnen jullie niet sneller graven?'

'Waarom hebben we de walkietalkie van die jongen niet meegenomen?' zei Scott.

'Die ligt op de voorbank van zijn auto. En die staat bij zijn huis,' zei Ben. Hij hield de slang bij zijn oor. 'Ik geloof dat ik haar hoor ademen.'

'Dat is de zuurstof, rechercheur,' zei de verpleger. Toen hij

Bens teleurstelling zag, wendde hij zijn blik af en mompelde: 'Sorry.'

'Cass, we hebben hem. Kyle kan je niets meer doen. Dus je hoeft niet bang te zijn. Vertel me dat je leeft, Cass. Zeg iets tegen me. Toe, Cass. Je bent toch het meisje dat altijd wint?'

'We zijn er. Er ligt een zeil over de kist.'

'Haal het eraf,' beval Ben.

Scott liet zich op zijn buik vallen om het zeil te pakken en trok het weg.

De deksel werd met breekijzers losgewrikt en opgetild.

Ben keek in de kist.

'Mijn god,' zei hij.

CASS

Ik ben weer in een donkere, nauwe ruimte met een vierkante knop bij mijn duim. En praat. Zoek de woorden voor mijn verhaal. Dat doe ik elke nacht.

Ik weet dat ik niet meer in de kist lig. Nadat alle lichtjes waren vervaagd, werd ik wakker in een ziekenhuis.

Het ziekenhuis maakte me bang. Het was er zo lawaaiig en druk en schel. Zintuiglijke overbelasting. Ik trok de dekens over mijn hoofd. Als iemand ze wegtrok, schokte en jammerde ik tot iemand medelijden met me kreeg en de dekens teruglegde.

Ik geloof dat ik veel heb geslapen. Kalmerende middelen? Ik weet het niet. Het kan me niet schelen. Slapen was fijn. Donker, stil en rustig. Ik werd een keer wakker en toen had pa mijn rechterhand vast. De hand van de walkietalkie. Mijn linkerhand zat in een verband dat eruitzag als een bokshandschoen. Mijn voeten ook.

Pa voelde blijkbaar aan dat ik mijn ogen opendeed, of hij keek al. In elk geval keek hij me recht aan en begon te huilen. Ik sloot mijn ogen weer en sliep verder, maar ik geloof niet dat hij me losliet.

Later werd ik wakker doordat het bed bewoog. Het werd naast me omlaag gedrukt. Ik werd nog iets wakkerder en zag mijn moeder. Deze keer was ik het die begon te huilen. Ze nam me in haar armen en ik drukte mijn gezicht tegen haar hals zoals ik deed toen ik klein was. Ze streelde me over mijn haren en zei: 'Ik hoor je. Ik hoor je, bibi. Je hoeft niets te zeggen.'

Klinken onuitgesproken woorden het hardst? En zeggen ze het meest?

Er kwam een grote man bij me op bezoek. Hij vertelde dat hij de leiding had gehad over het politieonderzoek. Hij zei dat ik me zelf uit het graf had gepraat. Dat zou waar kunnen zijn. Maar hij ziet iets over het hoofd.

Ik heb me er ook in gepraat.

Toen ik dat besefte, besloot ik te gaan luisteren.

Daarom praat ik niet meer tegen mensen. Ik kan wel praten. Maar ik vind dat ik niet weet wanneer ik moet praten en wanneer niet.

Een tijdje later werd ik overgebracht naar de psychiatrische afdeling. Ik vind het hier fijn. Veilig en stil. De dokter zegt dat ik in dat graf gestorven ben. Zoiets kun je niet overleven. Als je eruit komt ben je iemand anders.

Mijn vingers en tenen zitten niet meer in het verband. Ze hebben me verteld dat ik huidtransplantaties heb gehad omdat ze tot op het bot openlagen. De toppen van mijn vingers zien er heel raar en hobbelig uit.

Maar hoe kan het dat ik zo snel ben genezen? Er klopt niets van. Wat de mensen zeggen, wat ik zie, de tijd – het is een warboel.

Een voorbeeld: mama was hier gisteren. Ze vertelde me dat papa een huis voor haar heeft gekocht, zodat ze bij me in de buurt kan blijven. Hij heeft ook meubels voor haar gekocht, maar ze mocht ze zelf uitkiezen. Ja ja. En ik ga bij mama in het moeras wonen, kreeften vangen, voor zielige kinderen zorgen, en zal nooit meer een kreng zijn. Doe normaal, zeg. Papa koopt misschien wel een huis voor haar zodat ze bij me in de buurt kan blijven na al deze ellende, maar hij zou haar nooit, nooit van zijn leven zelf de meubels laten kiezen. Dus is de rest waarschijnlijk ook onzin.

Mijn moeder heeft kerstboompjes gebracht. Kleintjes met een

heleboel versieringen. 'Om je kamer in kerstsfeer te brengen,' zei ze. En cadeautjes. Zij en papa hebben me ook verjaarscadeaus gebracht. En taart. Een paar keer.

Waarom hebben ze dat allemaal gedaan in een paar maanden? Proberen ze me te laten denken dat er een heleboel tijd voorbij is gegaan, zodat ik snel beter word?

Het kan me niet schelen hoeveel taarten en kerstbomen ze brengen. Ik weet dat ik hier pas een paar maanden ben, want ik heb nog niet hoeven getuigen bij het proces.

Van Kyle.

Rechercheur Gray kwam me vertellen dat ik niet bang hoefde te zijn voor Kyle. Kyle zit in de gevangenis. Niet bij de gewone gevangenen, maar in een speciale afdeling. Hij heeft een eigen cel. En hij besteedt al zijn tijd aan een rechtenstudie. Hij probeert een manier te vinden om zijn moeder achter de tralies te krijgen omdat Davids dood haar schuld is.

De psych vraagt zich af of ik een soort Stockholmsyndroom heb. Je weet wel, dat ik een band heb gekregen met Kyle of zelfs verliefd op hem ben geworden. Maar dat is een andere film. Ik begrijp dat Kyle met een monster moest leven, maar hij had ook een andere keuze kunnen maken. Iemand die een mens levend begraaft, hoort levenslang te worden opgesloten.

En daar klopt het dus niet met de tijd. Ik weet dat Kyle nog niet in de gevangenis kan zitten. Er kan nog geen proces geweest zijn. De enige uitweg uit die kist was via Kyle. En de enige manier om Kyle in de gevangenis te krijgen was via mij. Ik moest hem daarheen sturen. Ik moest naar het proces gaan en getuigen. Het verhaal vertellen. Hoe konden ze weten wat er was gebeurd als ik het niet vertelde? Hij heeft me in mijn kist gestopt en ik moet degene zijn die hem in zijn kist stopt.

's Nachts kruip ik in de smalle metalen kast op mijn kamer, met een taperecorder in mijn rechterhand. Ik druk met mijn duim op de knop en vertel het verhaal. Ik begin bij het begin, toen David me uit vroeg, en vertel alles tot aan dit moment waarop ik de opname maak. Hier in het donker waar ik me niet voor mezelf kan verstoppen. En dan luister ik ernaar.

En dan wis ik het.

Pas als het allemaal klopt en de schuld ligt waar hij hoort, kan ik het ook in het licht vertellen.

DANKWOORD

Zoals altijd wil ik mijn geweldige agent Scott Treimel bedanken voor al zijn goede zorgen. Ook mijn redactrice Andrea Spooner ben ik dankbaar, omdat ze me een schep gegeven heeft, me heeft leren graven, en dat ook nog deed op zo'n aardige manier. En haar assistente Sangeeta Mehta omdat ze ons allebei geestelijk gezond heeft gehouden. Deb Vanasse, bedankt voor het doorlezen in het begin en het ontdekken van de grote inconsequentie. Pam Whitlock, fijn dat je naar me hebt geluisterd toen ik dit voorlas terwijl je eigenlijk had moeten rusten.

En dit boek is ook ter herinnering aan mijn trouwe schrijf-kameraad Jack London, mijn Pyrenese berghond, die aan mijn voeten zat bij elke herziening van elk boek dat ik heb geschreven tot en met dit. Ja, ik weet dat hij een hond was, maar hij was mijn muze en metgezel, die me niet van mijn stoel liet opstaan voor ik klaar was. Ik mis hem.

En Little, Brown – bedankt voor alles.